LEOPOLDO MÉNDEZ

CONSEJO NACIONAL PARA LA CULTURA Y LAS ARTES EDICIONES ERA

FRANCISCO REYES PALMA

LEOPOLDO MÉNDEZ

EL OFICIO DE GRABAR

GALERÍA • COLECCIÓN DE ARTE MEXICANO

Primera edición: 1994
© Francisco Reyes Palma (texto)
DR © de la presente edición:
Dirección General de Publicaciones del
Consejo Nacional para la Cultura y las Artes
Calzada México-Coyoacán 371, 03330 México, D.F.

Coedición: Dirección General de Publicaciones
             Ediciones Era, S.A. de C.V.

ISBN 968-29-6429-6
Impreso en Singapur

Al final de sus días, Leopoldo Méndez se acercaba al lienzo con una mezcla de fascinación y reverencia que casi lo paralizaba. Aunque quiso ser pintor, tiempo atrás había abandonado esa práctica para concentrarse en el grabado. Conocía bien el costo de la renuncia y quizá le quedó cierta nostalgia; amargura, ninguna. Hizo de su opción un acto natural, convencido de que la capacidad de pintar o de grabar no derivaba de un don divino, ajeno a la esfera de lo humano. ¿Acaso el arte no era para él un hecho de conciencia, como podía serlo el conocimiento científico? A su vez, la disciplina y las jornadas sin reposo lo transformaron en un trabajador más, quizá el único orgullo que su ética colectiva del Nosotros le permitía aceptar. Lo cual no significaba negar al grabado el estatuto de arte mayor; al contrario, por ser multiplicable, más que sufrir merma en su valor, ampliaba el potencial comunicativo.

Su decisión fue tan apasionada que lo introdujo en una aventura distinta en el campo de la creación. El grabado se hizo parte de él y, pese a que la carga de su misión lo agobió siempre, las navajas y las gubias acababan por ceder, vez tras vez, a la voluntad del artista. Conforme pasó el tiempo, la mirada de Leopoldo Méndez adquirió el potencial de un instrumento de precisión, capaz de distinguir las más sutiles gradaciones tonales del gris y de percibir los valores del blanco y el negro desde el color. Un universo por sí mismo, susceptible de desencadenar el placer cromático. Para Méndez, el grabado acabó por ser una forma de pintura, y en él alcanzó tal maestría que la crítica suele situarlo, junto con José Guadalupe Posada, entre los artistas gráficos más significativos del país.[1] Algunos de sus grabados son equiparables al mejor arte público de su tiempo, es decir, a los murales más logrados. Por otra parte, fue un dibujante extraordinario, pese a que poco se conoce y reconoce esa parte de su actividad, a no ser la implicada en sus estampas.

La figura de Leopoldo Méndez, inevitablemente, nos coloca frente a otra manera de concebir

1. Ya Carlos Mérida, en "Mexican Younger Generation", texto para el *Magazine of Art* de Washington, publicado en junio de 1938, señalaba: "Méndez conoce bien su oficio. En blanco y negro crea pequeños monumentos plásticos de una dignidad sin quiebres. En él se manifiesta de nuevo la tradición mexicana. Nos hace sentir el mismo aliento de angustia y revuelta que animaba al gran Posada". Por su parte, en su balance de la situación artística en México al filo de la posguerra, Diego Rivera apuntaba: "[El Sindicato] fue el almácigo de donde surgió un grupo de artistas interesantes y fuertes que incluye desde Orozco, el mayor de nosotros, hasta el genial Leopoldo Méndez. El más joven, verdadero sucesor de José Guadalupe Posada", *Así*, 6 de enero de 1945.

Leopoldo Méndez
al inicio de
los años treinta

el arte como empresa colectiva y funcional; la cual, a su vez, remite a la invención de un nuevo realismo, social y popular. Nuestro tiempo ha contemplado la puesta en entredicho de los realismos por parte de las tendencias abstractas. Éstas, a su vez, se han desplomado, arrasadas por la dispersión de la llamada posmodernidad artística. De la misma manera, los sistemas sociales a los que se asociaron dichas tendencias durante una guerra fría prolongada se derrumban o tambalean, y quedan sin base ideológica de sustentación. Pero es un hecho que el arte, cuando lo es, logra sobrepasar las limitantes que le imponen tiempos y geografías. Volver a mirar la obra de Méndez desde esta última consideración puede resultar, ahora, aún más estimulante.

En plena guerra civil, Leopoldo Méndez niño pudo concluir la primaria. Los acontecimientos habían templado su carácter y su sentido de lo inmediato como en un adulto. Sus años formativos transcurrieron a la par de la crisis porfiriana y el estallido revolucionario. Será en la propia obra donde recree con viveza excepcional ciertas situaciones de aquellos tiempos de niñez y temprana juventud. Su percepción parece más intensa, no en los momentos de exaltación heroica,[2] sino en las imágenes donde recupera estados de ánimo un tanto inasibles, como el temor social, encarnado por la dama aristocrática de rostro descompuesto y manos crispadas de *Corran que ahí viene la bola* (1937), quien materialmente se vuelca, despavorida, en brazos del espectador. Es el derrumbe oligárquico en su aspecto de total visceralidad.

Más autobiográfica aún es la imagen sobre *El hambre en la ciudad de México en 1914-1915* (1947). Visión del personaje de la Muerte como la abuela que, acompañada de su indefensa y famélica prole, se dirige a los llanos donde destazan a un caballo muerto en la trifulca, para adquirir un trozo de carne fétida.

Con la Revolución, el país ya era otro pero la Academia de San Carlos seguía siendo la misma. A esa institución ingresó Leopoldo Méndez cuando tenía catorce años, quince tal vez; allí adquirió el rigor y la disciplina del dibujo, mientras la vida discurría entre yesos desollados por los siglos y modelos acalambrados por la rutina. En contraste con el caos exterior, las nociones de perspectiva ordenaban el mundo, sometidas a la precisión matemática. Sin embargo, el aprendiz de artista aprovechó la tregua para empeñarse en rutinas interminables, hasta remedar el pliegue de un ropaje o el brillo peculiar de una vasija. Disfrutaba las enseñanzas sobre el color; además, la figura humana le resultaba algo tan misterioso, que le llevaría la vida entera descifrarla.

Por fin, los vientos del cambio alcanzaron a la Academia. En 1920, Alfredo Ramos Martínez ocupó la dirección y pudo crear una escuela paralela en el barrio de Chimalistac; ahí encontró

2. Un caso ejemplar es aquella xilografía donde representa manifestaciones multitudinarias en apoyo a Gustavo A. Madero, que tanto lo sobrecogieron. Estaba influido por la mística de sus maestros maderistas, pero igual podemos pensar que estas imágenes recordadas pasaron por el tamiz de reportajes fotográficos, que desde entonces comenzaron a condicionar la mirada y la memoria de los artistas.

un ambiente que fuera trasunto de la campiña francesa, para que sus alumnos, como insectos revoloteando en torno a una fuente de luz, captaran sus mutaciones en contacto con el entorno. Repetía así la efímera experiencia de 1913, cuando instaló la Escuela de Pintura al Aire Libre en Xochimilco, como si lo hiciera en el Barbizon francés.

Méndez, quien conservaba el carácter rebelde de su niñez, hizo causa común con algunos compañeros y, de inmediato, se integró a la nueva escuela; incluso continuó en ella cuando la trasladaron a una hacienda abandonada en Coyoacán. Era el más joven de esa generación que no sólo recogió el impulso educativo revolucionario, sino que constituyó el germen ambiguo de una primera vanguardia histórica mexicana, oscilante entre las búsquedas de luminosidad de raíz impresionista y los encuentros formales y cromáticos postimpresionistas. Por entonces, el poeta Manuel Maples Arce hacía notar el divisionismo característico de la pintura de Leopoldo Méndez, "el que más se acerca a la espiritualidad imprecisa y exquisita de los pintores franceses".[3]

El camino del artista estaba trazado, pero ¿quién compraría su obra? Con la Revolución se había esfumado ese puñado de burgueses aristócratas interesados en la pintura. En el supuesto, muy remoto, de que les atrajeran sus trabajos de corte impresionista, de seguro preferirían adquirir arte en París, donde se habían refugiado aterrados por la revuelta. Quedaba sólo acudir al patrocinio del gobierno, pero éste ofrecía encargos murales a un reducido número de artistas; el resto debía contentarse con una paga aún más escasa, a cambio de algunas horas de trabajo en los salones de clase.

Hacia fines de 1922, Méndez, Rufino Tamayo, Agustín Lazo y Julio Castellanos abandonaban la Escuela de Coyoacán para sumarse a la cruzada educativa. Enseñarían a los niños a plasmar el alma nacional en sus dibujos; sólo bastaba aplicar el método ideado por Adolfo Best Maugard, con sus siete elementos abstractos arrancados del arte mexicano más antiguo y de las manifestaciones del arte popular, pretendidamente sin tiempo ni autor identificables. Así, Méndez recibió su primer sueldo regular, noventa pesos mensuales, aunque lo complementaría con el ingreso de uno que otro encargo solicitado por los amigos literatos para ilustrar sus libros y revistas.

Ser artista en los años de la pacificación era sobrevivir en la precariedad, alimentado sólo por la emoción de construir el país desde sus cimientos. Para entonces, la frontera entre obra personal y compromiso se volvía tan difusa como ese desarraigo común al bohemio y al revolucionario. Los límites de la individualidad comenzaron a marcarse por los vacíos sociales y las aspiraciones de progreso.

Las vías de la acción cultural educativa se mantuvieron abiertas, aunque no siempre por generosidad del poder, ya que las autoridades querían, en general, dispersar a los artistas y clausurar el patrocinio de murales a los jóvenes, debido a su carga subversiva. En 1929, la Dirección de Misiones Culturales pasó de ser una instancia de educación, salud y desarrollo comunitario, a convertirse en una agencia encaminada a neutralizar los brotes violentos ocasionados por el conflicto entre el Estado y la Iglesia. Ese año, Méndez ingresó como maestro misionero encarga-

3. Manuel Maples Arce, "Los pintores jóvenes de México", en *Zig Zag* n. 54, México, 28 de abril de 1921, p. 29.

do de enseñar dibujo y pintura, de organizar equipos escolares que decoraran sus propios edificios, de fomentar y buscar la valoración de las artes e industrias tradicionales. Asimismo debía rescatar la música vernácula y difundir obras teatrales de trasfondo pedagógico y social, adaptadas a la receptividad comunitaria.

Las fronteras entre las artes se diluían a la par que el perfil profesional del artista se volvía más abarcador. En ese momento álgido, tal versatilidad obtenía como compensación el riesgo; si bien las satisfacciones de convivencia y aprendizaje en la vida rural dejaban un sinfín de registros que emergerían en la obra futura del artista.

Absorbido por el cumplimiento de sus tareas como maestro misionero, que de suyo desbordaban la capacidad de cualquiera, Méndez todavía hallaba resquicios para elaborar las ilustraciones que le demandaba la prensa educativa dirigida a los campesinos. *El maestro rural* y *El sembrador* son testimonio de ello. De esta última publicación podemos recordar materiales apegados al mensaje, como aquel grabado en madera destinado a combatir el alcoholismo en las zonas rurales. Allí, el espacio agobiado por las figuras de la mujer con un niño a cuestas en infructuoso intento por levantar al esposo borracho, encuentra su compensación visual y moral en el respiro de la protesta infantil colocada sobre el plano del horizonte.

Por igual, la tarea edificadora dejaba sitio al lirismo del artista, como en el grabado sin título que bien podríamos llamar *El adiós* (1929), para equipararlo con *El grito* de Edvard Munch de 1894. Allí presenta la figura esgrafiada de un personaje urbano que ocupa casi por completo el extremo derecho de la impresión y que, al tiempo que agita el pañuelo en señal de despedida, no tardará en desaparecer por el borde del grabado. A lo lejos, un campesino cabalga mientras responde al gesto fraterno. Entre ambos, un gran manchón blanco de sombras escurridas define el distanciamiento físico y el movimiento virtual. Gráfica expresionista, de sensaciones límite manifestadas por la línea.

Todavía en 1932, Méndez asumió la jefatura de la Sección de Dibujo y Artes Plásticas de la Secretaría de Educación e intervino en el Consejo de Bellas Artes. Pronto sus preferencias hacia la fusión del dibujo y la escenografía entraron en conflicto y renunció, lo cual le permitió formar grupos de teatro guiñol que, amparados en el modelo soviético, actuaban en las escuelas. Sin embargo su contacto con la esfera educativa nunca mostró tanta intensidad como en el álbum con siete litografías editadas por El Centro Productor de Artes del Departamento de Bellas Artes, con un tiraje de 3 200 ejemplares.

Bajo el título de *En nombre de Cristo* (1939), y con la rabia volcada sobre la piedra litográfica, Méndez desencadenó el trazo en torbellinos e incendios para que no se olvidara el asesinato de maestros y niños a manos de los cristeros azuzados por los sacerdotes contrarios a la "educación socialista" del cardenismo. Si tuviésemos que elegir la obra que lo representa en el campo de la educación, no dudaríamos en seleccionar esa protesta apasionada. En especial, el grabado donde la concentración de ojos constituye al testigo y al denunciante colectivos; gráfica inspirada en *Las masas* (1935), pero también vuelta revés de ese grabado prototípico de José Clemente Orozco, poblado de bocas vociferantes.

9

En el puerto de
Veracruz, 1928

Calle de Jalapa, óleo
reproducido en la revista *Horizonte* n. 4,
Jalapa, Ver., julio de 1926

Los estridentistas en Jalapa; de izquierda a derecha: Germán List
Arzubide, Manuel Maples Arce, Arqueles Vela y Leopoldo Méndez, 1926

Tenía Méndez diecinueve años, cuando la solitaria proclama vanguardista de Manuel Maples Arce clausuró, en medio del escándalo, el año de 1921:

```
E   MUERA EL CURA HIDALGO
X   ABAJO SAN RAFAEL-SAN
I   LÁZARO
T   ESQUINA
O   SE PROHÍBE FIJAR ANUNCIOS
```

Así iniciaba el primer *Actual*, con el que dio comienzo el movimiento estridentista. El poeta no buscaba impulsar una tendencia artística determinada ni constituir una escuela, más bien pretendía arrasar el espíritu de la Academia y las tradiciones. Sentía esa misión como un llamado profético en favor de la modernidad, y la acompañaba con gestos iconoclastas, muy a la manera de la agitación futurista y dadá: la indumentaria del dandi, con bastón y polainas; el rugido de su motocicleta por las calles de la ciudad, cual canto a la era del dinamismo.

Maples Arce había trabado amistad con Méndez tiempo atrás, cuando éste asistía a la Academia de San Carlos y más tarde a la Escuela de Coyoacán. Interesado en la plástica, el poeta incitaba a un pequeño grupo de pintores a aventurarse por los nuevos caminos de la experimentación, cuyos valores exaltaba en la prensa. Fue ese poeta, bajo el seudónimo de *El duque de Freneuse*, quien publicó los primeros dibujos de Méndez en la revista *Zig Zag*, referidos a la vida nocturna, tan cara a la bohemia artística.

El estridentismo, sin embargo, tardó en presentar un frente visual. Apenas a mediados de 1922, Jean Charlot realizó las primeras gráficas; un año después, lo harían Méndez, Diego Rivera, Fermín Revueltas y Ramón Alva de la Canal, en la revista *Irradiador*. Ellos mismos, burlonamente, la apodaban "Irrigador", como si las cabezas del México de entonces necesitaran de una purga. Ése fue el primer órgano formal del estridentismo donde Méndez inició sus colaboraciones. En su tercer número presentó el dibujo *La costurera*, dentro de la misma tónica desarrollada por el uruguayo Joaquín Barradas durante su periodo barcelonés: profundidad escenográfica en los planos, movilidad en las formas orgánicas y en las estructuras angulares. Resulta difícil comprobar si Méndez conoció los trabajos del ultraísta uruguayo a través de las múltiples revistas que, con ánimo proselitista, Maples Arce mostraba a sus allegados. En todo caso afirmó respecto a su colaboración en *Irradiador*: "Yo hacía dibujos con intención modernista. No diría yo que eran cubistas pero tenían cierta influencia de lo que Diego Rivera había traído a México de su época cubista en Europa".[4]

Pese a que el grabado tenía especial acogida entre los adeptos al estridentismo, nuestro artista no lo practicaba aún. De tal modo que cuando, el 12 de abril de 1924, se llevó a cabo la primera velada del movimiento estridentista en el Café de Nadie, y no obstante que la invitación impresa anunciara una exposición de pinturas, Méndez presentó dibujos. Así parece confirmarlo Germán List Arzubide en su segundo libro acerca del movimiento: "Musculaturas de verticales obreras, ansiedad de hacer del dibujo la gráfica del momento, que ha sido la inquietud de Leopoldo Méndez".[5]

Entre tanto, la sobrevivencia económica se hacía cada vez más difícil. De manera ocasional, Méndez era solicitado para hacer de "pato" de escenógrafo, lo cual le aportaba dos pesos por una jornada que solía extenderse hasta el amanecer. En un momento de especial estrechez, a fines de 1925 o al inicio del año siguiente, encaminó sus pasos hacia Jalapa, invitado por su amigo Maples Arce, con el objeto de unirse al grupo de estridentistas encargado de alrevesar esa provincia mexicana con sus manifiestos y proclamas vanguardistas. Maples Arce ocupaba la Secretaría del gobierno estatal, para espanto de sus enemigos que no comprendían qué tenía que hacer ahí un estridentista. Al también poeta y jacobino radical Germán List Arzubide, el flamante funcionario encargó la edición de la revista *Horizonte*, publicación oficial en sus dos acepciones: vocero cultural de las autoridades veracruzanas y tribuna estridentista, aunque ya involucrada con la vertiente de transformación social.

Si bien en Estridentópolis, como bautizaron a Jalapa, la situación material de Méndez no mejoró, la vida en común hacía más llevadera la existencia y la enriquecía con múltiples experiencias creativas. El artista rememora esa parte de su trayectoria como "la manera más bohemia que yo haya vivido y visto, durmiendo los unos en el suelo, los más afortunados, y otros en unas bancas que alguien mandó a hacer para una sala que no hubo. Nunca teníamos un centavo y ya nadie nos quería fiar. Pero lo importante fue que trabajamos con empeño en un ambiente fraternal".[6]

A partir de esa nueva hermandad, Méndez se inició en el grabado, con los recortes del linóleo que cubría los pisos podridos en el palacio de gobierno. Material al que reconocía la mejor calidad respecto a todos los que empleó en su larga trayectoria de grabador, y que aquella vez trabajó con herramientas de talla escultórica.[7] Asimismo contó con el apoyo de su antiguo con-

4. Elena Poniatowska, "Los 60 años de Leopoldo Méndez", en *Artes de México* n. 45, México, julio de 1963, pp. 6-7.

5. Germán List Arzubide, *El movimiento estridentista*, SEP, México, 1967, p. 28.

6. Elena Poniatowska, "Los 60 años de Leopoldo Méndez", cit., p. 7.

7. Elena Poniatowska, "Leopoldo Méndez", transcripción de entrevista, [s.f.].

discípulo Ramón Alva de la Canal quien, a su vez, había recibido en la escuela de Coyoacán las orientaciones de Jean Charlot, introductor en México de la estampación con espíritu vanguardista. Por otra parte, es posible que *Hombre*, el primer grabado de Méndez, se corresponda con algún momento de su estancia en Jalapa, ya que solía fecharlo en 1925.

La brumosa y provinciana capital del estridentismo sugerirá a Méndez los temas para portadas y viñetas. Ya la carátula para el cuarto número de *Horizonte*, *Techos de Jalapa*, da cuenta de la novedosa visión del artista: ahí una sucesión de tejados que se desplaza al ritmo de calles que, de tan empinadas, parecen rascacielos, en competencia ventajosa con las cúpulas de iglesias y las coronas de las palmeras que aportan su acento tropical. Otros temas urbanos serán el danzón, al que dedica dos viñetas, la pintura al temple de una hacinada estación de ferrocarril, o el óleo *Calle de Jalapa*, donde la traza urbana transforma los cables de luz en una cascada de líneas pentagramáticas que se hunden por la pendiente de una calle.

Ese afán de trastocar el letargo provinciano en modernidad urbana alcanzó incluso a la figura del indio. En su dibujo sobre *El volantín de las fiestas indígenas*, Méndez convirtió el ámbito de la tradición en una experiencia futurista. El asunto es el vértigo de las alturas, el dinamismo, la mirada a vuelo de pájaro, que convierten al paisaje natural y al hombre en escenarios geométricos advertidos a distancia.

Paralela a sus búsquedas futuristas, Méndez desarrolló lo que sería la médula de su expresión, los temas sociales. Justamente la experiencia jalapeña lo predisponía a ese desarrollo. El compromiso de los estridentistas comenzó a tender ahí, más que a lo iconoclasta y al quiebre de posturas estéticas añejas, a las labores de educación y difusión cultural, quizá más corrosivas. Méndez introdujo en el repertorio visual estridentista el asunto obrero, campesino, y las escenas revolucionarias. Ejemplo de ello son las viñetas *El peón*, la pintura al óleo *El fusilamiento* y, con un sentido de mayor actualidad, el dibujo sobre *Germán List Arzubide en la tribuna*, donde combinaba el hieratismo realista del retratado con un fondo de signos del progreso, rematados por una manta con el lema "revolución". Proyección gráfica de las aspiraciones estridentistas del momento: modernidad y cambio social.

En nada resulta extraño que List Arzubide califique a Méndez como "el último dandy del oberol [sic]",[8] paráfrasis que bien describe uno de los paradigmas estridentistas, en contraste con ese otro dandi que era el jefe del movimiento y cuyo retrato, a partir de un óleo de Méndez, aparecía reproducido en las páginas interiores de sus *Poemas interdictos*.

Sin embargo, una coyuntura política echó por tierra las expectativas: la abrupta salida del gobierno del general Heriberto Jara, protector de los estridentistas, los expulsó de Jalapa en 1927. Quizá la obra que faltó a esa vanguardia en Veracruz, para hacer de ella un vasconcelismo a escala regional, fue el muralismo. Y no porque no se considerara, sino porque careció de condiciones para llevarlo a cabo. Queda como testimonio el proyecto de Leopoldo Méndez para decorar los muros del Palacio del Poder Ejecutivo de Jalapa, con pinturas de acentuado jacobinismo. Pudiera ser que una estancia más prolongada de los estridentistas en la zona y la consolidación de los proyectos culturales, hubiera cambiado el parecer del artista sobre la repercusión obte-

Méndez en la LEAR, c. 1935

8. Germán List Arzubide, *El movimiento estridentista*, Ediciones de Horizonte, Jalapa, 1927, p. 66.

nida: "[. . .] no logró trascender dentro de la cultura mexicana, al menos como movimiento".[9]

En rigor, luego del estridentismo, los nexos de Méndez con la avanzada artística se hacen más exiguos. O quizá sería más sensato afirmar que ésta es la que se adelgaza. Fuera del apoyo del artista al movimiento treintatreintista, como firmante de la *Protesta de los artistas revolucionarios de México*, en defensa del proyecto contraacadémico de las Escuelas de Pintura al Aire Libre, sólo conocemos su participación marginal con los agoristas, agrupación que le era afín por su sentido de compromiso con el cambio revolucionario y su admiración por la Unión Soviética. En la muestra presentada en una carpa por este grupo, el grabado de Méndez, *La hora* (1929), acompañaba al cartel-poema de Gilberto Bosques. Obra llena de candor, donde representa a una familia campesina que pasa al vuelo frente a una pulquería pueblerina. El artista conocía muy bien la discreción de los gestos que quería trasmitir y lo logró por medio de los volúmenes elípticos y las figuras de trazo rápido que cortan en diagonal el centro de la representación. Así, Méndez crea la sensación sutil de movimiento. Contribuyen a este propósito las líneas de fuerza en la indumentaria y los festones, al igual que los planos ortogonales del fondo, los cuales, además, resaltan el efecto de profundidad.

Concluye este periodo de la vida de Méndez con cierto distanciamiento de las búsquedas vanguardistas; no obstante, pagó un último tributo con su visita a la meca de la modernidad, los Estados Unidos. Con su compañero de aventuras, el pintor guatemalteco Carlos Mérida, se desplazó por carretera a la ciudad de Los Ángeles, donde permaneció algunos meses, lo que le permitió ilustrar un libro y realizar una exhibición individual en una librería acondicionada como sala de exposiciones.

9. Elena Poniatowska, "Los 60 años de Leopoldo Mendez", cit., p. 6.

En el cotidiano internarse en la soledad del golfo con su pequeña barca, Leopoldo Méndez no pretendía la contemplación de los paisajes abismales como un romántico en busca de lo sublime. Predominaba el asco por unas cuantas ratas desmenuzadas que debía arrojar al mar, junto con el temor ante la presencia de tiburones, atraídos por los despojos. Ritual distante de lo que consideramos las tareas de un artista, respondía, sin embargo, a la iniciativa del doctor Ignacio Millán, quien lo había invitado en 1928 a residir en el puerto de Veracruz con el objeto de ilustrar la revista cultural *Norte*[10] y que, en vez de remuneración, le ofrecía un modesto cargo en el Departamento de Sanidad portuaria. Ahí el grabador debía practicar la autopsia a los roedores para determinar la posibilidad de una epidemia.

Durante esa segunda estancia veracruzana Méndez formalizó su pertenencia al Partido Comunista Mexicano (PCM), en 1929, y giró su producción en apoyo a la prensa obrera. Dada la condición marginal de ésta y la necesidad de evitar los costos del fotograbado, el artista se concentró en la estampa. A partir de ello privilegió la imagen de contenido político hasta hacer, paulatinamente, de este género artístico su actividad central, lo que no evitó que ejecutara otro tipo de grabados, alentado por las revistas de arte europeas que con frecuencia llegaban al puerto. De hecho, ahí tuvo su primer contacto con los collages de Max Ernst,[11] con esas atmósferas tan ligadas a la esfera del absurdo como los delirios anticomunistas promovidos por el presidente Emilio Portes Gil. Algo de la paranoia del clandestinaje debió permear su trabajo, del que se ha perdido toda traza, en especial, los carteles de tema social que fijaba en los muros, amparado por la noche.

Ya de vuelta a la ciudad de México, su convergencia ideológica con un pequeño número de militantes comunistas, Juan de la Cabada, Pablo O'Higgins y David Alfaro Siqueiros, le llevó a conformar, en 1931, el organismo denominado Lucha Intelectual Proletaria (LIP), sumido en la ilegalidad. En ese contexto, el arte resultaba para la LIP un arma de enfrentamiento clasista,

10. El título hace referencia, no a un punto cardinal, sino a los frecuentes fenómenos meteorológicos que azotan la región. Desgraciadamente, no hemos podido localizar hasta ahora ejemplar alguno de esa revista.
11. Elena Poniatowska, "Leopoldo Méndez", cit.

cuyos propósitos quedaron asentados en *Llamada*, primer y único número de su órgano de prensa, fechado en octubre del mismo año. *Dos campos*, el grabado de Méndez que ilustró la portada, resulta un vivo testimonio de la estrechez de la nueva línea cultural partidaria, sometida a los dictados de la Internacional Comunista, que sustentaba una concepción instrumental del quehacer artístico: el arte como recurso meramente propagandístico, en un ámbito de descrédito respecto a las bondades del capitalismo, incrementado por los efectos de la crisis económica. Siglas, leyendas y atributos acompañaban a la rígida representación de personajes y símbolos estereotípicos, de manera que no quedara confusión alguna respecto al sentido del mensaje.

La LIP fue un intento frustrado de organización cultural que debía abrir espacios de respiro al proscrito PCM; sin embargo, ese colectivo de artistas desapareció muy pronto a causa del clima persecutorio mantenido por el gobierno de Pascual Ortiz Rubio. Con los años, la difusa presencia de la LIP habría de adquirir cierta aura legendaria como precursora de una nueva organización: la Liga de Escritores y Artistas Revolucionarios (LEAR), creada en 1933 por el mismo grupo que originó la LIP, al que se sumó Luis Arenal.

Si bien la LEAR se ostentaba como organización independiente, sus miembros eran militantes del PCM y respondían a las necesidades más inmediatas del Partido. Durante 1934, Méndez y O'Higgins realizaron los grabados que ilustran el folleto de Henri Barbusse, *Saludo*, editado para el Primer Congreso contra la Guerra y el Fascismo. Asimismo, Méndez colaboró con *El Máuser*, órgano de las células comunistas en el ejército y en la policía, en cuya portada reprodujo su grabado *El "Juan"*, también conocido como *La familia del general*, donde contrastó las condiciones de vida de la jerarquía militar respecto al común de los soldados; e intervino en *Contraataque*, cuya portada ilustró en apoyo al Primer Congreso Nacional contra el Fascismo y la Guerra.

Entre las primeras contribuciones de Méndez bajo las siglas de la LEAR, estuvo el grabado para la carátula del primer número de *Frente a Frente: Calaveras del Mausoleo Nacional*, o *Concierto sinfónico de calaveras*. Obra asociada a la celebración del día de muertos de noviembre de 1934, donde con acidez Méndez criticaba la inauguración del Palacio de Bellas Artes (que Abelardo L. Rodríguez se ufanó en concluir antes del término de su interinato presidencial), considerado símbolo de restauración de la cultura oligárquica, pues partía de la estructura a medio terminar del Teatro Nacional porfiriano. En ese grabado, Méndez aprovechó para censurar a Diego Rivera por su asociación con el trotskismo.

Sorprende la intensidad con que el artista respondió al surgimiento de un fascismo criollo, en particular la Alianza Revolucionaria Mexicanista (ARM) y sus "camisas doradas". Quizá el poder efectivo de ése y otros grupos era menor que su capacidad para sembrar el terror psicológico en las organizaciones de izquierda, a las cuales asaltaban furtivamente. El clima de incertidumbre obligaba a los miembros de la LEAR a realizar guardias armadas en sus instalaciones, para prevenir ataques.

Todo estaba en juego para un amplio sector de artistas, Méndez entre ellos. Surgió entonces una estética del acoso y la defensa; el arte de una guerra encubierta contra quienes amenazaban los avances de la vieja revolución y la posibilidad de una nueva. De ahí la recurrencia al ataque gráfico con el objeto de anular a los camisas doradas, rojas, verdes, y a sus posibles aliados dentro del gobierno. Ya desde agosto de 1934, Méndez había dedicado la portada de *Contra-ataque* a *El mexicanismo de los fachistas* [sic]. Al año siguiente encabezó la primera hoja popular de la LEAR con un grabado contra los dorados en su papel de casatenientes. La manifestación del 2 de marzo de 1935, con que el Partido Comunista celebraba en la Plaza de Santo Domingo la salida de una ilegalidad de seis años, sufrió un atentado por parte de los dorados, quienes, asimismo, asaltaron el nuevo local del Partido. Esto impulsó a Méndez a realizar diversas versiones del acontecimiento: *Fascismo I* y *Fascismo II* —el primero ilustró un número de *Frente a Frente*—; y *Cómo pretenden*, hoja volante que sirvió de manifiesto.

Asimismo, Méndez produjo un cartel con el fotograbado *El gran obstáculo* (1936), donde aparece el puño en alto del pueblo como una formación telúrica monumental, que detiene el avance de un tanque guerrero tripulado por las fuerzas del capital extranjero y su versión mexicana, representada por la ARM. Incluso en el saludo para el año nuevo de 1936, *Piñata política*, mantuvo la alusión a los dorados. El juguete cargado de fruta no es sino la efigie del ex presidente Calles, la cual revienta al golpe que le propina un obrero, mientras deja caer jícamas, cañas, limas y limones, con que personifica a los allegados políticos del "Jefe Máximo", mezclados con los fascistas de la ARM, entre ellos Luis N. Morones, el dirigente obrero. Tanto Calles como Morones serían expulsados meses después por el presidente Cárdenas, a causa de sus intentos golpistas, tendientes a revertir los procesos de libre manifestación y huelga, además de su afán de injerencia en las decisiones gubernamentales. Continuó ese año de 1936 con dos grabados: *El machete y el mazo*, que ilustra el cuento de Juan de la Cabada, "Soy camisa dorada"; y otro más, con calaveras de elementos negativos atacadas por el pueblo, ambos publicados en *Frente a Frente*.

Varias constantes cruzan este conjunto de grabados antifascistas. Sobre la figura manida del Tío Sam y los no menos socorridos emblemas de la hoz y el martillo, comenzó a predominar el estereotipo del fascista de la ARM, mezcla de burgués y gatillero rural. En el aspecto técnico, aparece con frecuencia la utilización del velo para el sombreado, con un movimiento de paralelas que solía hacerse angustioso, semejante a llamaradas. Por otra parte, hallamos la recurrencia de símbolos como la swástica, el puñal y la pistola, emboscada a veces aunque, por lo general, empuñada abiertamente, humeante, tras el tiro de gracia a un trabajador. Esa víctima pasaba entonces a formar parte del martirologio laico, junto con el repertorio cristiano de piedades y rompimientos de gloria socialistas. Por otro lado, Méndez frecuentó los recursos de la caricaturización, la animalización o la calaverización de los personajes, para estigmatizar los elementos que consideraba socialmente destructivos. Su humanismo, tan arraigado, ahí tocaba fondo.

El equilibrio de poderes era inestable y puede seguirse a través de las escalas de los sujetos. Por momentos, las fuerzas del capital y los promotores de la guerra adquieren proporciones gigantescas, aunque Méndez solía representar al obrero en una escala igual a la de sus agresores. El 20 de noviembre de 1935, los militantes comunistas del Frente Único del Volante, entre relinchos y reparos, materialmente lanzaron sus unidades motorizadas contra la caballería de los dorados en el zócalo de la ciudad de México, lo que provocó varias muertes, pero también el inicio del desmantelamiento de aquellos grupos fascistas, mismos que Méndez acabó por reducir a la escala de roedores, como en el cartel realizado en 1936 para el Congreso Nacional de Unificación Proletaria, donde se originó la Confederación de Trabajadores de México (CTM).

Quizá la aportación gráfica más sobresaliente del artista a la LEAR sea el cartel utilizado como anuncio para la inauguración, el 17 de octubre de 1935, del Taller Escuela de Artes Plásticas, encabezado por Siqueiros. El tema es simple, un llamado a los obreros para acudir a ese centro. Gráfica de imperativos, a la manera del cartel bélico, con una gran flecha que remarca la orden de inscribirse, a la vez que señala el camino. Las figuras de obreros, suavemente modeladas, sin aristas; el empleo de varias tintas que, al mezclarse con los sombreados, parece aumentar la gama de tonalidades y el formato mayor del cartel, hacen de éste un caso peculiar, tanto por trabajar con elementos pictóricos murales como por la persecución de lo monumental en las figuras. Muchas más fueron las contribuciones de Méndez a la LEAR, fuera como maestro, como parte del equipo de pintura mural, como organizador y encargado, por periodos, de la Sección de Artes Plásticas de la Liga o, simplemente, como uno de sus ilustradores más asiduos y combativos.

Sin embargo, la vida de ese organismo concluyó en el momento de su mayor expansión y renombre. Una oleada de críticas sobre burocratismo y corrupción comenzó a corroer la estructura de la Liga. Es factible pensar en una estrategia de desmovilización dictada por la Internacional Comunista, e implantada por sus agentes encubiertos: David Alfaro Siqueiros o el mismo Vicente Lombardo Toledano, seguidor entonces de la línea browderista. Probablemente se consideró la poderosa influencia adquirida por la Liga, su capacidad de agitación y la necesidad de presentar en el exterior la imagen de un México más apaciguado, luego de considerar los efectos de la expropiación petrolera y la inminencia de guerra. Meses antes de disolverse la LEAR, Méndez había fundado el Taller de Gráfica Popular [TGP], organismo de frente abierto, igual que su antecesor, aunque siguió colaborando con la Liga, cuyos artistas gráficos más activos y organizados pasaron al Taller.

No obstante, al proponerse como un espacio autónomo de acción gráfica, el Taller debió sortear fuertes impedimentos económicos para hacerse de un local y de los instrumentos de trabajo necesarios. Los primeros meses del TGP fueron de aprendizaje, al cobijo del viejo impresor don Jesús Arteaga y de su taller de litografía industrial, donde los artistas reunidos en torno a Méndez se introdujeron en los secretos del oficio. Al inicio desarrollaron un tipo de gráfica de doble función que, por una parte, cumplía con los requerimientos de claridad del mensaje político y, por otra, promovía su uso como elemento de agitación.

Un buen ejemplo es la hoja volante de apoyo a los maestros perseguidos por los cristeros, ilustrada con una litografía de Méndez. *Maestro tú estás solo* [. . .] (1938) mantiene el parentesco estilístico con Posada, e incluso incorpora la consigna como parte de esa pedagogía del uso político de la imagen: "Combate con la propaganda ilustrada, que es arma efectiva". La rigidez de otros tiempos se había trocado en realismo ingenuo.

En uno de sus cuadernos de anotaciones, Leopoldo Méndez daba cuenta de los logros del taller durante sus primeros diez años de vida:

Cuando la lucha en España desarrollamos la obra más importante para agitar la conciencia de los mexicanos. Durante la expropiación petrolera no faltaron las hojas volantes del Taller, las que se distribuían en las concentraciones obreras y populares.

En la guerra contra el nazifachismo [...] no hubo ningún grupo de artistas plásticos y, mucho menos, ningún artista aisladamente considerado, que realizara el trabajo espontáneo que nosotros realizamos.

¿Y no es verdad que el TGP salvó con su contribución la exposición de "El drama de la guerra", realizada en Bellas Artes y a la cual no contribuyeron algunos de los que la convocaron? En la campaña contra el analfabetismo tampoco estuvimos ausentes.[12]

En este pluralizar los alcances del Taller, no estaría de más individualizar algunos aportes de Méndez, como esa sátira goyesca contra el ejército franquista que es *La toma de Madrid* (1938), con la cual comienza a delinear un nuevo estilo, dueño del oficio que habrá de distinguirlo. Este grabado muestra la sabiduría en la ocupación del espacio en cuanto entorno psicológico, donde se percibe la búsqueda de efectos por medio de la representación, el despertar sensaciones de rechazo en el espectador, ante el poder y sus investiduras: deprimir el horizonte, hendirlo por medio de un ángulo invertido de banderas sombrías; aplastar hasta el ridículo a los personajes castrenses y eclesiásticos bajo cascos prusianos descomunales, cual pastiches del fascismo alemán. El doblez de los rostros deformes, caricaturescos, aumenta la eficacia de la crítica, junto con el paso de ganso multiplicado que provoca esa sensación de dinamismo y simultaneidad aprendida del cubo-futurismo, mas no distante del trazo libre orozquiano.

Los recursos de un arte fundado en la emoción, sin duda quedaban almacenados en la memoria del artista para aflorar, años después, incluso con el signo invertido, como es el caso de *Silvestre Revueltas muerto* (1951), uno de los grabados más dramáticos y equilibrados de Méndez. Allí, de nuevo recurre a la horadación del espacio como ámbito emocional, mediante ángulos de luz; lo aplana para despertar el efecto de duelo, nacido del sentimiento ante la pérdida del amigo, del artista, del compañero de lucha. Ni siquiera estamos seguros si el plano inferior pertenece a la hondura de la tierra que abriga al cadáver o es su féretro.

Dar cuenta de la producción de imágenes de Leopoldo Méndez dentro del TGP, resultaría ingenuo por su volumen. A la par, realizaba decenas de grabados de otro orden que, con mayor facilidad, quedaban enterrados en libros, folletos y revistas de circulación restringida. Peor aún sería intentar un registro minucioso de su actividad política. Las tomas de posición del grabador no fueron ajenas a los sectarismos y desgarramientos de la izquierda mexicana. Como su propia sombra, a Méndez lo perseguía la duda, esa compañera que consume a algunos hombres de

Georg Stibi con Leopoldo Méndez por las calles de la Ciudad de México. Gracias a este refugiado alemán, quien fungió como administrador de la editorial del TGP, se obtuvo un periodo de estabilidad económica entre los grabadores

19

12. Cuaderno de anotaciones de Leopoldo Méndez, febrero de 1948.

convicciones inamovibles. Para un artista como él, la dificultad no residía en los fines, sino en cómo alcanzarlos y en si el camino era el adecuado. Al suave deslizar de las cuñas, las cavilaciones se agolpaban como virutas rizadas. Ser justo resultaba su obsesión.

No siempre lo lograba. Habría que recordar situaciones como la intensificación del repudio de los estalinistas hacia Trotsky, sobre todo a partir de que el dirigente revolucionario arribara a la ciudad de México al inicio de 1937. Dentro de esa línea, Méndez produjo una litografía para la propaganda de *La Voz de México*, periódico sucesor de *El Machete*, donde aparece un conjunto de personajes populares que lanza trompetillas de burla a la burguesía, durante un desfile septembrino y que, finalmente, se dirige a un Trotsky, al que presenta miniaturizado y escurridizo. Entonces la propaganda gráfica en contra de Trotsky adquirió el carácter de un verdadero linchamiento político.

En cambio, su devoción por la URSS no evitó que el realismo socialista le resultara decepcionante por su excesivo apego a la Academia, contra la cual los artistas mexicanos de la posrevolución habían desplegado una fuerte ofensiva. Esto ocurría en 1939 cuando, merced a la beca Guggenheim, visitó el pabellón soviético instalado en la Exposición Mundial de Nueva York.[13]

Méndez llegó a pasar incluso por situaciones extremas como un encarcelamiento temporal, luego de que Siqueiros dejara pistas falsas en las instalaciones del TGP para desviar la investigación policiaca sobre el atentado a la casa de León Trotsky. En 1946 renunció al PCM para incorporarse al Grupo Insurgente José Carlos Mariátegui, germen del futuro Partido Popular. Encabezado por Vicente Lombardo Toledano, ahí militaron Méndez, José Revueltas y Enrique Ramírez y Ramírez desde 1947, año de su fundación. Desde entonces, la actividad de Méndez en el TGP deriva hacia el sesgo pacifista y antinuclear, tan característico de la izquierda de la posguerra. Asistió al Congreso de Intelectuales por la Paz, realizado en Wroclaw, la actual Breslau, en Polonia. Seis años más tarde recibió en Viena el Premio Internacional de la Paz, otorgado por el Consejo Mundial de la Paz.

Luego de una ausencia de dos años del Taller de Gráfica Popular, en 1961, Méndez hizo efectiva su renuncia, rodeado por un grupo de compañeros solidarios. Parte de los que se aferraron al Taller, los más suspicaces, respondían a intereses faccionales del PCM. Para él, la participación en el Taller no estaba reñida con una filiación política plural, en tanto no contraviniera los principios estatutarios de no aliarse al fascismo o a la reacción.

El proyecto del TGP fue colectivo pero, aglutinado en torno a la personalidad de Leopoldo Méndez, al faltar éste, desfalleció. Entre los reproches que se le hacían estaba el encarnar al Taller; pero no podía hacerlo de otra manera. En todo caso, lejos estaba del culto a la personalidad. Méndez fue el garante del libre flujo de posiciones. Los hechos futuros probarían su congruencia. A la larga sólo permanecieron los mediocres. Fuera del Taller, la incertidumbre respecto al sentido de su arte se incrementó: los proyectos quedaban inconclusos o, hechos trizas, en el cesto de papeles. Los viejos ideales parecían herrumbrarse en el México de entonces. No descreía, sólo reflexionaba. Por cuánto tiempo, quién podía saberlo.

13. Elena Poniatowska, "Los 60 años de Leopoldo Méndez", cit., p. 14.

AUTORRETRATO

Leopoldo Méndez era un hombre poco afecto a referirse a sí mismo; con dificultad sus contados biógrafos le arrancaban datos y anécdotas personales dispersos. Asimismo, resulta excepcional hallar entre su abrumadora producción de grabados alguno que se refiera a su propia imagen.

Fue por encargo del Art Institute of Chicago que, en 1945, Méndez realizó lo que, al parecer, es su único autorretrato difundido: un grabado en madera de pie, de formato vertical, en cuyo tercio inferior aparece volcado el artista, como una ilustración más dentro de su carpeta de apuntes. Su efigie adopta un tratamiento naturalista, modelado escultóricamente por el espesor de los trazos; en tanto que los dibujos que le acompañan mantienen su carácter bidimensional, propio del dibujo. Entre éstos sobresale la figura espectral de un esqueleto, el cual bordea el costado del artista y cuya mano huesuda guía el trazo de la pluma. Méndez solía afirmar que el artista popular dispone de una "mano guiada por la emoción", por el componente afectivo que, en este caso, es una rememoración de José Guadalupe Posada, modelo en la tarea de ser testigo de su tiempo, aunque también una nota de ánimo sombrío frente a la guerra.

En los dos tercios restantes, el artista se ocupa del asunto que da título al grabado: *Amenaza sobre México*. En una gran cruz, rematada en sus extremos por espadones acerados a la manera del signo fascista, representa al águila del emblema nacional crucificada con puñales. Al pie de la cruz, un nopal de púas erizadas crea una barrera protectora; en tanto que una serpiente, cual portento nacido de la tierra, dirige sus fauces hacia el peligro inminente: el militarismo y la intolerancia religiosa. Ambos se despliegan en un desfile-procesión, camino a la ciudad de México. En el horizonte se percibe la muerte sembrada por el fanatismo y el rastro de cruces donde arden sus víctimas.

En su narrativa múltiple, apoyada por la profundidad de planos, la complejidad compositiva y el juego de desproporciones y escalas, este grabado enlaza soluciones propias del monumenta-

Autorretrato.
Grabado en linóleo, c. 1954,
6 × 5.2 cm

lismo de la pintura mural. Es una versión actualizada del artista romántico, donde la melancolía se ha trocado en acción revolucionaria. Al margen de considerarse un artista inscrito en la avanzada del combate social, Méndez se representa atrincherado, en la retaguardia, con un gesto meditabundo. Ahí, reflexión y acto gráfico forman una unidad de tiempo y acción; es arte de concepto y de contexto, también de desencanto.

Autorretrato.
Detalle del grabado
Lo que puede venir,
1945

El campo cultural no es producto de generación espontánea, ni deriva de un puñado de voluntades aisladas, por imaginativas que sean. Cierto distanciamiento, lejos de las mitologías de la creación, permite percibir con mayor nitidez ese carácter construido, social, de la cultura, al que el arte no es ajeno. Crear una tradición artística es efecto de la selección del pasado, del rescate de sus elementos más vitales para articularlos con las prácticas contemporáneas. Que José Guadalupe Posada se volviera el modelo a seguir para varias generaciones de grabadores forma parte de un proceso de este tipo, alentado por las circunstancias inéditas de la posrevolución.

Varios hechos confluyeron para recuperar a Posada del olvido; el primero, la visión del artista: en 1921, el Dr. Atl, en el catálogo dedicado a la primera exposición de arte popular, dentro del capítulo de la lírica, exaltó a ese difuso creador de imágenes sin recordar su nombre siquiera; para él, Posada era todavía un apéndice gráfico de la literatura popular. Un año después, Maples Arce le atribuyó el ser un potencial de inspiración para la vanguardia que intentaba implantar en México, y que no encontraba en otros artistas del pasado inmediato. En 1926, el también estridentista Jean Charlot, en un artículo memorable, le confirió a Posada un estatuto artístico de autor por derecho propio, aureolado por su profundo sentido de religiosidad. Todavía en 1930, el mismo Charlot, en unión de Pablo O'Higgins, rescató buen número de las planchas originales de Posada, para editar una monografía de sus grabados. El prólogo quedó a cargo de Diego Rivera, es decir con el aval del artista más prestigiado de la nación.[14]

Si en los veintes Posada entroncó con la valoración de lo ingenuo y lo espontáneo, en la década siguiente se le identificó como precursor de la revolución artística mexicana. Muralistas y grabadores lo reclamaban como paradigma; lo mismo servía de apoyo al realismo social autóctono, que a los modelos nacionalizados del arte proletario y del arte como artefacto de lucha, que privaban en aquellos años. No es casual, entonces, que Posada haya resultado ser el preceptor del Taller de Gráfica Popular y que, en el caso de Méndez, se estableciera una fusión de

14. Véase Dr. Atl (seudónimo de Gerardo Murillo), *Las artes populares en México*. Publicaciones de la Secretaría de Industria y Comercio y Editorial Cvltura, México, 1922 (reedición del Instituto Nacional Indigenista, 1980); y la entrevista de Ortega en *El Universal Ilustrado*, 24 de agosto de 1922: "Nuestro apóstol creacionista, Maples Arce". Asimismo véase el artículo de Jean Charlot, "Un precursor del movimiento de arte mexicano. El grabador Posadas [sic]", en *Revista de Revistas*, 30 de agosto de 1925; y el libro de Frances Toor, Pablo O'Higgins y Blas Vanegas Arroyo (comps.), *Monografía. La obra de José Guadalupe Posada, grabador mexicano*. Mexican Folkways-Talleres Gráficos de la Nación, México, 1930.

identidades que dio lugar a una forma institucionalizada, pero distinta, de producir el arte. Tampoco es fortuito que el TGP editara en 1943 una carpeta con 25 grabados a partir de las planchas originales de Posada, prologada por Leopoldo Méndez, ni que éste le dedicara, años después, la edición de una monografía tan exhaustiva como no había contemplado artista alguno del país, vivo o muerto.[15]

A partir del ejemplo de la fructífera unión de Vanegas Arroyo y de José Guadalupe Posada en una empresa tan prolífica y popular como fue su taller, Méndez ideó una forma distinta de actividad grupal: un colectivo gráfico de artistas dirigido a la más amplia audiencia. Posada, ese pequeñoburgués provinciano, bajo el influjo académico, asalariado y sometido a las órdenes de un patrón se volvió, luego de muerto, mito de libertad, desplazado de cualquier forma de patrocinio e influencia que no fuera la impuesta por un pueblo igualmente mítico: la primitiva industria masiva de imágenes quedaba así envuelta en la ilusión de autonomía. A partir de ello, la generación de Méndez estableció el depender del encargo obrero y de sus organizaciones políticas, como modelo de la mayor independencia, ya que respondía a una convicción personal sin imposiciones ajenas.

En ese proceso de legitimar tradiciones, incluso las máquinas formaron parte de la herencia legendaria: la vieja impresora que ostentaba el registro "París, 1871" fue bautizada como "La Comuna" por los miembros del TGP, quienes así se sentían inspirados en la experiencia combativa de la prensa europea del siglo anterior, según lo recuerda Hannes Meyer.[16] Del mismo modo, sirvió de precedente *La Orquesta*, ese periódico decimonónico mexicano de sátira política, sostenido por cerca de diez años bajo la conducción de los artistas litógrafos. Algo de mito venía bien a aquel mundo de estrecheces, de espacios a veces lúgubres, destartalados casi siempre, pero tan afortunados en experiencias creativas y camaradería, que dotaban de su verdadera dimensión al ámbito cotidiano.

De Posada deriva el tema fundamental de la vida mexicana, que se hacía más complejo y diverso al mirarlo desde los sectores olvidados. Gracias a él, en cualquier momento, el artista podía apropiarse de las formas populares sin entrar en contradicción, incluso en los momentos de mayor demanda de la estampa política. Un claro ejemplo es el grabado en madera de *El rapto* (1934), donde Méndez recupera el sentido de delirio poético: a horcajadas sobre un corcel, que más parece nacido de los puestos del tianguis dominguero que en un establo, el jinete acoge a la novia que se precipita desde las alturas. Atrás, un fondo arquitectónico piramidal. Es el momento detenido antes de la huida de los amantes, cuando las espirales descienden; las curvas engarzan encuentros amorosos y las nubes envuelven los cascos a galope.

Ese contacto con el acontecimiento social y con el imaginario popular hacía preferir a Posada sobre Daumier. En opinión de Méndez, "Posada no tiene nada que ver en lo formal con Daumier, ni siquiera en sus primicias litográficas. Además Daumier es muy elaborado y sus trabajos huelen a estudio: Posada es el más alto ejemplo del antiestudio".[17]

Ya en los tiempos de la LEAR, la exhumación de Posada arrastró consigo un cúmulo de esqueletos vivientes, que retornaban al mundo de los vivos con su humor cáustico. No obstante,

2

15. Leopoldo Méndez y otros (comps.), *José Guadalupe Posada, ilustrador de la vida mexicana*. Fondo Editorial de la Plástica Mexicana, México, 1963.
16. Hannes Meyer, *El Taller de Gráfica Popular. Doce años de obra artística colectiva*. La Estampa Mexicana, México, 1949, p. VIII.
17. Anaya Sarmiento, "Entrevista con Leopoldo Méndez", en *Diorama de la Cultura*, suplemento de *Excélsior* [sin día ni mes], 1957.

Reunión de amigos del Taller en la casa de la familia Méndez. En el orden acostumbrado, Leopoldo con su hija en brazos, su esposa Andrea, Georg Stibi, Dolores Zúñiga de Bracho, Pablo O'Higgins, Francisco Mora con Pablo Méndez en brazos, Galo Galecio, Ángel Bracho. En la parte inferior Frida Radoff, la señora Stibi y Angélica Bracho

fue dentro del TGP donde Méndez realizó sus mejores aportaciones al calaverismo. Tenía, además, la certeza de que el método crítico del trabajo colectivo, aspiración constante del TGP, sólo había cobrado cuerpo durante los periodos de ejecución de las calaveras. Es cierto que en ese género, el aporte de la escritura y la gráfica exigía una integración forzosa, pero era quizá el margen de libertad formal —ese disponer de un cubismo espontáneo, de "huesos mondos" como lo llamaba Rivera— el que despejaba el camino a una creación sin las cortapisas de la pedagogía política.

Para la edición de *Calaveras estranguladoras* (1942), Méndez efectuó dos linóleos, *Corrido de Stalingrado* y *Gregorio Cárdenas*. El primero resultó una de sus obras más agresivas, la calavera del ejército rojo que arrasa al fascismo. Ahí la acción del jinete y su montura es tan atropellada que parece salir a galope de la página impresa, directo hacia el espectador. El segundo linóleo representa el ámbito de la locura propiciado por la prensa amarillista y la represión religiosa; allí, un enjambre de cadavéricos insectos voladores con alas de papel periódico revoloteaba en la mente de Goyo Cárdenas, impulsándolo a cometer una serie de asesinatos. Imposible olvidar sus *Calaveras aftosas con medias náylon* (1947), donde la vaca, como Adelita revolucionaria de erguido esqueleto y rebozo bien plantado, empuña el 30-30 para reivindicar la leche natural frente a las trasnacionales de la desnutrición.

Calaveras televisiosas (1949) continúa ese quehacer fabulador, crudo, con sus pantallas de parpadeos hipnóticos que colman la miseria de sueños; le sigue *A la cargada, calaveras* (1951), alegoría del milagro mexicano alemanista, la modernización de un país presa de inundaciones y abandono, al que sólo redime el mirarse sin conmiseración desde la risa y el sarcasmo: los esqueletos con escafandra.

Otra vía abierta para las generaciones de artistas revolucionarios fue el matrimonio del grabado y el corrido. Está ahí como muestra la serie de cuatro zincografías para hojas volantes, de la serie el *Corrido de Don Chapulín* (1940), un ataque a los hambreadores personificados por ese bicho de canto estridente el cual, para aprovecharse del pueblo, se metamorfosea en burgués con levita y bigote de manubrio; en otra imagen adopta la sacralidad del sacerdote en ofrenda eucarística, con la ostentosa casulla formada por las alas plegadas del insecto; y más tarde se vuelve un matón de pistola al cinto. A fin de cuentas, ese pueblo puede regocijarse al verlo amortajado y despedirlo con estrofas como las de *La cucaracha*: "Ya murió don Chapulín, ya lo llevan a enterrar, entre cuatro agraristas y el Comisario Ejidal".

La lección moral de la historia significó para el grabador una sucesión ininterrumpida de imágenes de poder y resistencia, de héroes y villanos. Del mismo modo, la vida cotidiana y de trabajo de los sectores subalternos cobró cuerpo en las incisiones de las planchas de madera y linóleo, como si continuara el trajinar en los surcos del arado, con un dejo de nostalgia rural pese a su acendrado obrerismo.

En parte, la herencia de Posada explica la producción gráfica de Leopoldo Méndez y el que éste mantenga todavía hoy una receptividad amplia, con una circulación social que rebasa los límites del campo artístico y que, sin duda, lo hace formar parte del legado popular. Pero también conservó la tradición artística del apunte directo, la captura del movimiento y el gesto en su más mínimo detalle. Más allá de esos aspectos, la conjunción de pasado y presente dio lugar a un nuevo realismo, popular y social, que a veces quiso acercarse al realismo socialista, pero cuya tradición propia fue tan intensa que nunca pudo anclarlo en esa opción.

Cuando el recinto se hunde en la penumbra y el ruido se disipa de golpe, un grabado monumental invade la pantalla de cine. De no ser por el negro intenso de los trazos que retiene la luz, el espectador quedaría encandilado. Un instante después, los créditos se deslizan sobre la imagen. Para entonces, la concurrencia se halla presa de un sentimiento trágico. Una estampa de Méndez predispuso el ánimo. El ritual del sueño colectivo puede iniciar.

A Gabriel Figueroa se debe esa iniciativa de abrir sus películas con una serie de grabados que aparecía en pantalla por algunos instantes, para luego servir de fondo a titulares y créditos. Sólo una sensibilidad como la suya era capaz de fundir géneros artísticos tan distanciados, el gráfico y el cinematográfico. Con ello pretendía difundir aquella modalidad plástica entre mayor número de espectadores y dar al grabado mexicano un reconocimiento internacional más amplio.

En su búsqueda de un lenguaje propio para el cine mexicano, ya el famoso camarógrafo había experimentado con hacer de la pantalla un mural vivo, desplegado en el tiempo. Sin embargo, a partir de la cinta *Río Escondido* incorporó de manera directa el arte de la estampa. Su elección recayó en Leopoldo Méndez, a quien consideraba el mejor grabador de su tiempo y a quien le unían lazos afectivos y cierta afinidad en la fuerza expresiva.

Méndez no dudó en subordinar los recursos de la imagen multirreproducible a otro medio, industrializado y con audiencia multitudinaria pero capaz, también, de contener la expresión individual. Sabía que el público, al disponer por unos momentos de la imagen inmóvil de sus grabados, entraría en contacto con una especie de mural de luz; fugaz si se quiere, pero suficiente para colmar sus necesidades estéticas. Y es que la pintura mural había sido en la vida de Méndez aspiración e impedimento. La ironía gráfica de José Clemente Orozco le atraía como un imán, y a Diego Rivera le profesaba la admiración más profunda, no obstante que éste fue el primero en obstruirle el camino hacia el mural:

Diego empezó a llamar a los jóvenes pintores a luchar por los murales, yo me hice presente y llevé un cuadrito para que lo viera. Diego lo revisó y me dijo: "Para muestra basta un botón" y arrinconó mi cuadrito que, creo, se perdió. Entonces ya no volví a acercarme a los muralistas y continué mi trabajo para la reproducción gráfica.[18]

Esto ocurría en la década del veinte, aunque algunos años más tarde, y ya como un miembro destacado de la LEAR, se le presentó, en los Talleres Gráficos de la Nación, la primera oportunidad de pintar un muro. Pero volvamos al cine. Leopoldo Méndez, quien se entusiasmó sobremanera con la idea de participar en un medio de masas como el cine, intervino, entre 1947 y 1966, en una decena de cintas con más de cincuenta grabados y diseñó, en el caso de *Macario*, de Roberto Gavaldón, la trilogía constituida por los personajes de Dios, el Diablo y la Muerte.

Su afán experimental lo llevó a buscar una fórmula comunicativa eficiente; realizaba incluso varias versiones del mismo grabado hasta dar con la que le parecía más adecuada. De alguna manera estableció un nuevo diálogo con la idea del mural, aunque debió resolver la presencia de las multitudes con mayor economía. Así, los cuerpos apiñados en los frescos de Rivera y de Orozco, o las masas móviles de Siqueiros, fueron sustituidos por acercamientos con cierta densidad psíquica.

Mientras Figueroa solía tomar en préstamo soluciones formales y elementos compositivos desarrollados por artistas de la talla de Posada, Siqueiros, Orozco y el mismo Méndez, este último, aunque partiera de la foto fija derivada del filme, raramente la usaba como motivo de inspiración directa. Cuando lo hizo, el salto resulta más o menos evidente, como en el caso de *Río Escondido* donde el grabado *Pequeña maestra, qué grande es tu voluntad*, extrema las desproporciones de escala entre figura y paisaje.

De hecho, la convivencia con el otro medio artístico llevó a Méndez a una forma distinta de grabar: formatos apaisados, horizontes extendidos, primeros planos con representaciones monumentales de los personajes, por lo general escorzados y con violentos cortes definidos por un principio de encuadre similar al logrado con la lente. Por ende, sus trazos se volvieron más depurados y sintéticos, de manera que, al ampliarlos, incrementaban su vigor expresivo.

Los problemas lumínicos, tan propios del cinematógrafo, encontraron su correspondencia en la acentuación del claroscuro y su colateral efecto dramático. En cuanto a la búsqueda de movimiento, dado que sus imágenes permanecían estáticas en la pantalla, Méndez activó los fondos mediante trazos dinámicos y líneas diagonales de fuerza más acentuadas que en su trabajo anterior.

Quizá se ha reflexionado más acerca del efecto de la fotografía sobre la producción artística tradicional que la de los nuevos medios masivos. En todo caso es posible rastrear en Méndez la presencia de imágenes negativadas, el empleo de placas de negativos como material para grabar y de planchas de madera y acrílico como soporte de grabados murales a gran escala.

Si bien, con motivo de la guerra fría, los grabadores del Taller tendían a reforzar el contenido realista y propagandístico de sus trabajos, la producción de Méndez para el cine se libró de la presión del mensaje político directo, del contenido preciso, para actuar sobre los efectos, y se

18. Ibid.

Méndez ejecuta un
grabado en el Taller de
Gráfica Popular, c. 1944.
Fotografía Hermanos Mayo

dejó llevar por un espíritu más experimental, en algunos casos, con representaciones de mayor lirismo, referidas a la parte más gozosa de la vida popular, como en *Carrusel* (1948). En otros halló soluciones alegóricas que, sin perder su tinte político, convirtieron el entorno y la expresión facial en signos primarios del carácter nacional en su vertiente clasista.[19]

No es paradójico que sus grabados cinematográficos definieran un estilo que obtuvo una mejor recepción entre diversos públicos y que, incluso, llegara a formar escuela entre los integrantes más jóvenes del Taller. Conserva este tipo de grabados una narrativa secuencial, cercana al concepto de montaje y tiempo fílmico. Sin embargo, Méndez retomaba luego su producción diseñada para el cine, la imprimía en papel y formaba carpetas de artista con las series de estampas, las cuales, a su vez, se vendían entre un reducido grupo de coleccionistas. Asimismo, dichas series eran traspasadas a clichés fotomecánicos para multiplicar cientos de copias mediante la imprenta.

En 1954, uno de sus grabados para la película *La rebelión de los colgados* obtuvo un premio. En cambio, otros compartieron el destino de filmes como *Rosa blanca* (1961), dirigida por Roberto Gavaldón, que fue enlatado por varios años. Si bien la inclusión de gráfica en el cine la sometía a formas más rigurosas de control, propias de una industria masiva, uno de los grabados de la cinta mencionada, impreso en papel con motivo de una muestra sobre la ciudad de México, resultó intolerable para la censura. Ahí aparece la efigie dictatorial de Porfirio Díaz, quien recibe el aplauso oligárquico mientras pisotea a una mujer, evocación de la Patria, sentido que se refuerza por la cercanía con la bandera nacional. Entretanto, el ejército acribilla a un contingente huelguístico. Hasta ahí nada resultaba reprochable para el censor, pero el grabado incluyó otro detalle, las garras de la silla presidencial que rasgan las carnes de la mujer. Sin duda aquel mueble tan caro al poder, continuaba siendo un símbolo intocable.

Al tiempo que a Méndez se le abría la colaboración con la industria cinematográfica, se establecía la primera réplica del Taller de Gráfica Popular en los Estados Unidos: el Graphic Workshop de Los Ángeles. Luego le seguirán el de San Francisco y el de Nueva York.[20] El primero de ellos inició su actividad con una filmina de cien cuadros en 35 mm, donde se recogía el quehacer gráfico de sus colegas mexicanos. Por su parte, la Bryant Foundation, también en Los Ángeles, editó en 1949 otra filmina con grabados del TGP de tema antibélico y con un lenguaje denunciativo, característico de los prolegómenos de la confrontación de guerra fría. Méndez señalaba con asombro en su cuaderno de anotaciones: "ellos disponen de medios de reproducción tan modernos [que los grabados] pueden ser exhibidos en cualquier pantalla comercial [y] los mismos obreros los alquilan para exhibirlos en sus reuniones". Si estos despliegues técnicos lo deslumbraban, cuanto más los del cine.

19. Véase el análisis realizado por Carlos Monsiváis respecto a la construcción de arquetipos fílmicos, en su ensayo "Gabriel Figueroa: la institución del punto de vista", en *Artes de México*, segunda época, n. 2, México, invierno de 1988.

20. Helga Prignitz, *El Taller de Gráfica Popular en México, 1937-1977*, INBA-CENIDIAP, México, 1992, pp. 123-24.

El grabador sabe que pisa terreno propio cuando percibe las emanaciones dulzonas de la tinta. Ese olor que las máquinas exudan en su esfuerzo por multiplicar imágenes. El aura de los talleres litográficos y las imprentas de antaño individualizaba un oficio que se sabía arte y territorio de una tradición libertaria, que evocaba en la memoria sensorial a Goya, Escalante o Posada; a Kollwitz, Masereel, Orozco o Picasso. Pero no se agotaban ahí los rangos de los sentidos, ¿cómo olvidar el chasquido que produce el rodillo al batir la tinta sobre la piedra litográfica o el estruendo acompasado de las viejas prensas mecánicas?

Las primeras ilustraciones ejecutadas por Méndez para una revista se remontan a mediados de la década del veinte. Fueron dibujos atmosféricos, de líneas difusas, como correspondía a su afán y su temática vanguardistas: la vida nocturna de los cabarés.[21] Más tarde en Jalapa, ya iniciado como grabador dentro del estridentismo, además de ilustrar la revista *Horizonte*, realizó viñetas para las ediciones gubernamentales: *El movimiento social en Veracruz* (1927), folleto con el texto de una conferencia de Maples Arce; y *Emiliano Zapata. Exaltación* (1927), libro de List Arzubide. En el primer caso representó a un campesino y a un obrero que empuñan sus herramientas de trabajo, a los que sobrepuso una plasta de color, en un naranja más intenso que el del papel, con lo cual imprimió valores volumétricos a la silueta; en el segundo plasmó la efigie del dirigente campesino, circundada por una línea mostaza, con un efecto similar. Pese a la sobriedad de ambas viñetas, la resolución es de gran calidez.

El agorismo fue una derivación literaria de la vanguardia, signada por su afán de reorientar la cultura oficial a partir de los ideales de la revolución propia y del ejemplo soviético. Encargado de la publicación de *El Sembrador*, agorista él mismo, Gilberto Bosques fungió como nexo con los artistas plásticos.

Entre las contribuciones de nuestro grabador a este movimiento, se halla el grabado *La revolución que hace arte* (1929), carátula del catálogo de la primera exposición de poemas de ese

21. Los dibujos de Méndez sirvieron de ilustración al artículo de *El duque de Freneuse* (seudónimo de Manuel Maples Arce), "Pinceladas de colores. Los cabarets", *Zig Zag*, México, 14 de abril de 1921, pp. 32-33.

grupo. Un campesino-soldado que toca la armónica es figura central y emblema de las manifestaciones creativas de los grupos subalternos antepuestas a las de la alta cultura. También ilustró *La corola invertida* (1930), edición patrocinada por su propia autora, María del Mar, asidua colaboradora del agorismo. En esa novela, Méndez incluyó una serie de grabados bien ajenos entre sí, tanto por la temática como por la resolución y la técnica; al azar elijo aquel de un rebozo desplegado en el espacio, el cual encierra una iguana entre sus ondulaciones. El tema resultó mero pretexto para el juego de ritmos abstractos, de incisiones reiteradas en forma de muesca que componen la gama de texturas de la tela.

Era usual que los requerimientos del patrocinador dejaran su impronta en la realización; de ahí la diversidad estilística para responder a diferentes circunstancias, si bien Méndez a ningún encargo restaba importancia. En el caso de su primer libro ilustrado fuera del país para la Ampersan Press de California, *The Gods in Exile* (1930), de Heinrich Heine, el tema mitológico impuso un tratamiento más clásico. Se trata de una cuidadosa edición de factura manual, que contiene cuatro viñetas en un lenguaje moderno y estilizado, con especial atención al aspecto del detalle. Todavía ese año ilustró la portada de la revista *Economía Nacional*, en donde pareciera intervenir una sensibilidad distinta, la del constructivista racional, pues ahí los componentes son el fondo de papel milimétrico y los altibajos de una gráfica estadística, aunque en especial los fantasmas de sombra en las letras del título y el círculo en *Collage de la O*, dan relieve a los planos de la composición.

Si bien para Leopoldo Méndez el acto de grabar nunca fue asunto poco serio, en ocasiones la temática lograba conmoverlo en tal medida que los resultados diferían por su intensidad. La portada del libro de Anna Seghers, *La séptima cruz* (1943), es un buen ejemplo.[22] Su grabado encierra, entre texturas y planos de luz, las escenas de horror de un campo concentracionario nazi. Son las tensiones entre lo artístico y lo político las que determinan la fuerza de la imagen: cortezas de árbol ricamente trabajadas; acciones contenidas que prefiguran actos más brutales todavía; el título del libro en alemán inscrito en una laja de madera. Tocamos de nuevo esa idea de Méndez del arte como artefacto de conciencia y el principio de que sugerir es decir mucho más. Aplicar todos los recursos del arte a la imagen política era la forma de colmar su función. Méndez estaba convencido del poder de la imagen, de su capacidad para multiplicarse y para ir al encuentro de la sociedad a fin de modelar el futuro. Esa fe inconmovible en el poder figurativo, casi mágica, que marcó varias generaciones de adeptos.

Por vez primera, en 1943 este artista hizo una selección de sus obras con el objeto de que La Estampa Mexicana editara el álbum *25 Prints of Leopoldo Méndez*. Los temas y el orden interno de las imágenes podían, sin embargo, confundir al coleccionista, entregado sin reservas a la pura contemplación sin conocer la trayectoria del grabador. Lo que quizá podía desconcertar era la inclusión de grabados políticos en una carpeta de arte: dos estampas de tema religioso: una, *Sudor de sangre*, los estigmas de una santa; otra, *Sueño de los pobres*, la última cena transformada en festín de menesterosos. A continuación, *Jinetes*, arremetida de la caballería zapatista, y *Casateniente*, el desalojo de una familia proletaria. De pronto, la sátira de las grandes figu-

22. Anna Seghers, *La séptima cruz*. El Libro Libre, México, 1943. Ese mismo año, Méndez ejecutó tres grabados para *El libro negro del terror nazi en Europa*, de la misma editorial: *La Gestapo*, *Asesinos en comandita* y *Deportación a la muerte*.

Leopoldo Méndez
en su estudio
de Coyoacán,
c. 1964. Fotografía
Pablo Méndez

ras del arte nacional, *Concierto de locos*, donde cada personaje ejecuta un instrumento para obtener el sonido de su propio discurso: el comunista Siqueiros con el arpa en forma de hoz, el prehispanista Rivera con el teponaxtle, el fascista Dr. Atl tocando la matraca. Sigue otro grabado, *El "Juan"*, con los contrastes entre privilegio y pobreza y, luego, *Accidente*, la muerte absurda de un obrero de la construcción. Enseguida, *Concierto sinfónico de calaveras*, de humor macabro. A qué continuar con la enumeración. Por qué no dar al grabado político su estatuto de obra artística, se diría el autor, si dispone de la misma pasión y oficio que cualquier grabado de asunto amoroso, mitológico o paisajístico. Tercamente, Méndez se empeñaba en reivindicar ese género estigmatizado, el político, a contrapelo de las corrientes internacionales de la vanguardia y sustentado, sólo, en la herencia del grabado popular como raíz profunda, irrenunciable.

De hecho, cuando los grabados de Méndez habían agotado su función social, eran susceptibles de pasar a manos del coleccionista, impresos sobre papel especial; ya no sobre el papel de china de colores propio de las hojas volantes. En la carpeta referida (que, por cierto, alcanzó dos ediciones), parte del tiraje contenía grabados sobre papel de arroz, reconocible por su textura y esas arrugas precoces en la superficie de la pulpa, las cuales dan lugar a pequeños accidentes que en el momento de estampar exigen que cada línea mantenga un registro impecable, lo cual aumenta el gozo del observador.

La última impresión de la carpeta corresponde al grabado *La venganza de los pueblos* (1942). Su formato rebasa, por unos cuantos milímetros, al resto de los grabados. No obstante, las pestañas que resguardan y protegen la colección de estampas parecen no retener a esta imagen, cuya violencia las desborda: la figura de un guerrillero en posición de arremeter con el hacha contra las efigies, ridículas y bestiales a la vez, de los dirigentes del eje fascista, responsables, como se puede ver en el grabado, de las matanzas de mujeres y niños indefensos. La imagen monumental del luchador popular posee, al mismo tiempo, toda la carga y toda la ligereza. Lo cerrado de sus líneas le confiere peso suficiente para asestar el golpe mortal; lo desdibujado de su parte inferior, lo hace flotar en el espacio como una aparición justiciera.

Sin abandonar esa iconicidad binaria de opuestos absolutos, tan frecuente en el repertorio político, esta imagen sorprende, de manera particular, por su insólito tratamiento. El cuerpo del guerrillero, vuelto un remolino de diagonales, elimina simbólicamente la swástica fascista. Anulación del emblema por la figura: signo contra signo. En el terreno cromático, también contribuye al aplastamiento visual de los verdugos, el minúsculo aumento de tono en las líneas que componen la masa piramidal del ejército popular y su empuje aureolado por el fuego purificador. Tonalidad, línea, fuerza y emoción se conjugan inseparables, es la forma indiferenciada del contenido. En este grabado, Méndez, más que relatar, representa los límites del odio incubado por las víctimas frente al victimario.

En 1944, Leopoldo Méndez y Juan de la Cabada tuvieron un encuentro afortunado en el libro *Incidentes melódicos del mundo irracional*, reino de la complicidad de lenguajes y de la transgresión de fronteras. Ahí, la trama del relato, el ritmo de los cantos mayas y su notación musical, aportados por el cuentista, se conjugan con las estructuras visuales del códice y la hibridación de imágenes del grabador. Éste nos introduce en el mestizaje de géneros y especies, para transfigurar realidades en una zoología social. Los signos tipográficos rigen el espacio que, con sabiduría, se puebla de seres diluidos en las metáforas del escritor y que son presa de ciclos de mutaciones: el efluvio de la mujer-caracola, con el pelo al viento y una gran boca de flor y canto, resuelta en brazos que suplican al cielo; o ese otro de la mujer-cabellera-río, rito de higiene y fluir de los recuerdos, habitada a su vez por caminantes y mujeres empeñadas en lavar la ropa.

Un par de años después, esa publicación a dos voces obtuvo el primer premio de ilustración durante la Feria del Libro, otorgado por un jurado entre cuyos integrantes estaban Francisco Díaz de León y Gabriel Fernández Ledesma. No era para menos; los juegos bicromáticos de los grabados, impresos a partir de una doble plancha, encontraron una magnífica recepción entre los amantes del arte quienes, sorprendidos, no hallaban equivalencia con otros grabadores modernos.

Méndez, además, realizó una carpeta de grabados a partir de ese libro, y retomó ciertos hallazgos para producir nuevas ilustraciones. Por ejemplo, el de la portada de *Ansina María* (1945), cuento de Berta Domínguez, en el cual recupera las transmutaciones: cartero mezcla de insecto y aparato volador, con el rehilete juguetón en la mano, a la manera de hélice. Por igual, en otra viñeta hizo simultanear la figura y su esqueleto como en una placa radiográfica: presencia de muerte. En cambio, en el primer número de la revista *Anthropos* (abril-junio de 1947), extraña fusión de antropólogos y artistas del TGP, lo que Méndez recoge en su dibujo para la portada es el valor de la bicromía en las manchas abstractas que se desenvuelven en torno a las fauces abiertas de un tigre.

Uno de sus últimos trabajos de gran aliento lo realizó en 1964, a petición de su amigo Maples Arce, quien así dispuso de buen número de viñetas e ilustraciones a línea para su relato autobiográfico, *A la orilla de este río*. La linealidad táctil del huecograbado es justo la que refuerza el poder evocativo del libro, el cual actualiza las vivencias infantiles y de primera juventud.

Habría que considerar que los grabados de Méndez, incluso los que aparecen con más frecuencia en los medios impresos, presentan títulos y usos que no necesariamente corresponden a la intención original del autor. Aun de los más conocidos ignoramos todavía la fuente de su publicación original. El caso es que Méndez no puso en orden su propia trascendencia: al abandonar el Taller de Gráfica Popular, más que buscar su reconocimiento personal, dedicó la energía de sus últimos años a delinear un nuevo proyecto. Aunque lo alejaba de su práctica concreta, esta tarea no le era ajena del todo: una empresa editorial empeñada en recuperar el sentido del arte mexicano. Eso significaba dar fe de la extensión y profundidad del muralismo mexicano, consolidar la presencia de José Guadalupe Posada como autor, recoger lo vivo del arte popular y, quizá, con ello avalar cierta modalidad artística que él compartía, la que se pretendía pública y popular, comprometida con la existencia o, dicho en términos del propio artista, comprometida con un arte que "sea siempre una referencia constante a la vida, a la vida y a la alegría, y más que a la alegría a la plenitud de ella, con todas sus angustias y contradicciones".[23]

Tras editar en Holanda un libro sobre la pintura mural mexicana, Leopoldo Méndez y José Sánchez, impresor del TGP, visitan en Suiza a una antigua colaboradora del Taller, Lena Meyer

23. Cuaderno de anotaciones de Leopoldo Méndez (s.f.). Aparece también en "La esperanza despierta. Fragmento de una plática con el grabador Leopoldo Méndez", Henrique González Casanova. *El Gallo Ilustrado*, suplemento de *El Día*, n. 5, México, 29 de julio de 1962, p. 1.

T Indica que las obras están reproducidas a su tamaño original

1. **FOX TROT**
   DIBUJO, 1921

2. **LA COSTURERA**
   DIBUJO, 1923

3. **HOMBRE**
   GRABADO EN MADERA DE HILO, c. 1925

4. **TECHOS DE JALAPA**
   PORTADA DE REVISTA, 1926

5. **DANZÓN**
VIÑETA, 1926

6. **EL PEÓN MEXICANO**
ILUSTRACIÓN, 1927

7. PORTADA DE REVISTA, 1927

8. VIÑETA PARA PORTADA DE FOLLETO, 1927

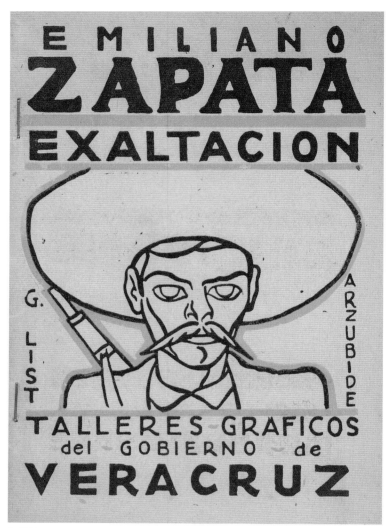

9. PORTADA DE LIBRO, 1927

10, 11. PORTADA Y CONTRAPORTADA DE LIBRO,
GRABADOS EN MADERA, 1928

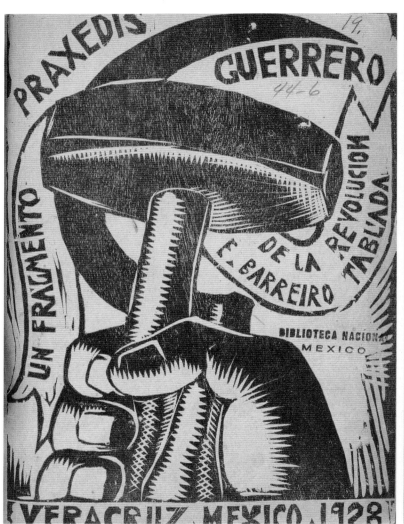 

12, 13. PORTADA Y CONTRAPORTADA DE LIBRO,
GRABADOS EN MADERA, 1928

14. **LADRILLERA**
GRABADO EN MADERA, 1929

Mi Primo Aniceto

Entre todos los muchachos del barrio y de la ranchería, era el más inteligente y el más hombre.

Había estado en la escuela el tiempo indispensable para aprender a deletrear. Desde muy pequeño subió a la categoría de jefe de familia y tuvo que enfrentarse con el rudo trabajo del campo.

Su padre, el tío Demetrio, del que me acuerdo vagamente por su silueta nazarena, había muerto en la epidemia de tifo que asoló los contornos. Entonces, Aniceto se hizo cargo de la madre y de los hermanos menores. El horizonte del mundo se redujo para él a los linderos del rancho de los Charcos, y las horas del día, desde la madrugada hasta la noche, estaban integralmente repartidas en las labores más rudas.

Cuando apuntaba el lucero del alba o se veían las Siete Cabrillas, empezaba la ordeña para que llegara la leche a buen tiempo. Para cuando el sol salía, él ya había ordeñado, apartado las vacas de las crías y curado a los becerros enfermos.

¡Con qué alborozo llegaba a la cocina a la hora del almuerzo! Era un remanso; cerca de la abuelita desgranaba su buen humor y se enredaba en bromas con los rapaces menores. Hacía su plan para el trabajo del día, que era siempre igual, pero había que darle el toque de novedad y de aliento cotidianos. Las vacas se encerrarían en el "jagüey", allí los pastos eran abundantes; los becerros a la "manga", en donde había buenos aguajes. Después, a traer los bueyes para uncir, antes que calentara mucho el sol. Siempre había que abrir, que voltear, que sembrar, que escardar o que asegundar algunas tierras. El día lo pasaba abriendo surcos, comía al pie de la besana la pitanza que le llevaba alguno de los hermanos menores, y al caer la tarde soltaba la yunta para ir a recoger las vacas de ordeña a fin de que pasaran la noche en los establos rudimentarios. Volvía cantando entre las veredas, tronando su honda y gobernando su ganado con voces certeras y oportunas.

Los colegiales del pueblo que íbamos al rancho a pasar el fin de semana cerca de los abuelos, admirábamos a Aniceto porque sabía más cosas que las que nosotros aprendíamos en los libros. Era de la misma edad nuestra y él hacía la tarea de los hermanos mayores. Aserraba la madera para los yugos y los timones, cor-

taba el cuero crudio para las coyundas, uncía los bueyes con voces de mando y golpe seguro y arriaba la yunta trazando con su reja y su arado el cuadrilátero de la tierra labrantía.

Aniceto sabía el nombre de las vacas, de los bueyes y de los toros, y a los que no lo tenían él se los acomodaba. —¡Ea, Tumbaga! ¡Ora, Cintiyo! ¡Arriba, Jolino! Todos los animales conocía su voz y hasta obedecían sus llamados.

Los domingos eran días propicios a los grandes acontecimientos del rancho. Cuando no iba a misa y se quedaba con nosotros en el campo, Aniceto siempre inventaba algún entretenimiento fuerte y regocijado.

—Vamos a ver, muchachos; saquen al toro "Homero", que lo vamos a topar con el del rancho vecino.

Aquellas peleas de toros eran sensacionales; caminábamos con nuestro campeón, irrumpíamos en la propiedad ajena, acorralábamos a los contendientes y la acometida de las fieras ponía el espanto en nuestro corazón y el temor en la conciencia. Muchas veces los dueños del rancho invadido nos echaban en carrera o venían a formular cerca del abuelo reclamaciones amenazantes. Cuando alguno de los toros salía con una asta quebrada o sangrante desgarradura en la piel, nos sobrecogía la impresión de las tragedias irreparables.

Era también el primo Aniceto un buen andarín y un experto leñador. —Ahora, muchachos; agarren sus hachas y vamos hasta la cumbre del cerro de San Diego, al potrero de "El Chopo"; allí "haremos leña" y si no se cansan los llevo a "La Campana", donde hay una piedra enorme que al golpearla suena como esquila.

Rajábamos leña, hacíamos vibrar la roca misteriosa, buscábamos frutas silvestres y de vuelta tatemábamos elotes en pleno campo y comíamos como una tribu nómada. Aniceto nos guiaba, nos advertía de los peligros y nos hacía ligera la expedición contándonos las anécdotas de la ranchería.

De regreso al caserío, encontrábamos en la casa solariega la resignada pobreza, la santa piedad de las mujeres y la providente asistencia de los abuelos...

El Rancho de los Charcos hubo de venderse. La buena madrina, que era la dueña, agotó su fortuna en hacer servicios a toda una parentela desvalida y ahora llegaba el turno a las tierras que se habían

(Madera de Leopoldo Méndez).

15. **EL ADIÓS**
GRABADO EN MADERA, 1929

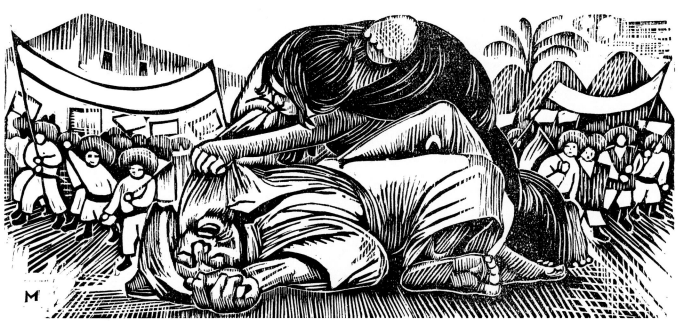

16. **PROTESTA CONTRA EL ALCOHOLISMO**
    GRABADO EN MADERA, 1929

AGORISMO
PRIMERA EXPOSICION DE POEMAS - 1929

17. **LA REVOLUCIÓN QUE HACE ARTE**
GRABADO EN MADERA, 1929

18. **LA HORA**
GRABADO EN MADERA, 1929

19. **A LA GUERRA, A LA GUERRA**
GRABADO EN MADERA, 1930

20. **CARAVANA DE MISERIA**
GRABADO EN MADERA, 1930

21. **UN PASO DE JAZZ**
    GRABADO EN MADERA, 1930

22. **INFLANDO EL GLOBO**
GRABADO EN MADERA, 1930

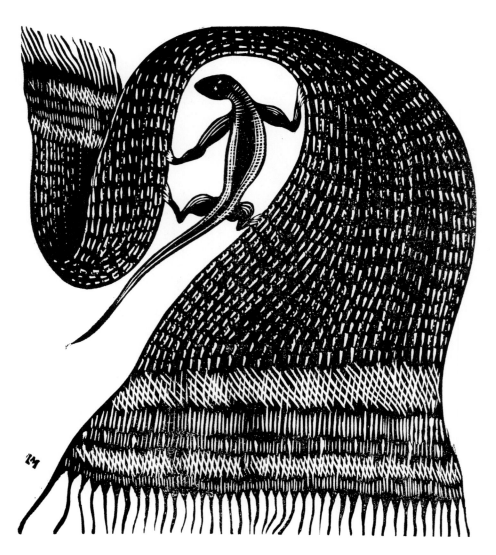

23. **REBOZO DE BOLITA, AZUL**
GRABADO EN MADERA, 1930

24. NEPTUNO
GRABADO EN MADERA, 1930

25. SIN TÍTULO.   T

    GRABADO EN MADERA DE PIE, c. 1930

26. **INQUISICIÓN**
   GRABADO EN MADERA, c. 1930

T

27. **EX LIBRIS DE JOHN VAN BEUREN**
GRABADO EN MADERA DE PIE, c. 1942

T

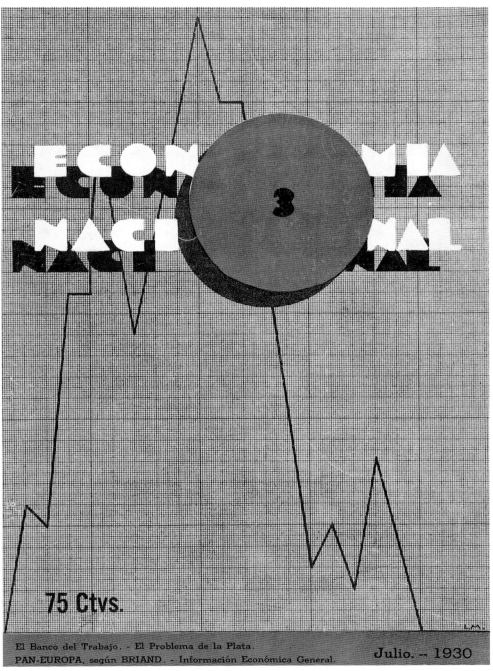

28. DISEÑO DE PORTADA DE REVISTA, 1930

29. **LAS TROJES**
   GRABADO EN MADERA DE HILO, 1930

30. **LAMENTACIÓN**
GRABADO EN MADERA DE PIE, 1931

31. **SUDOR DE SANGRE**
GRABADO EN MADERA DE HILO, 1931

32. **SUEÑO DE LOS POBRES**
GRABADO EN MADERA, 1931

33. **ARTE PURO**
   GRABADO EN MADERA DE HILO, 1931

CANTO INGENUO

LA ESCUELA RURAL

Por
ENRIQUE OTHON DIAZ

MEXICO.   MCMXXXI

34. VIÑETA PARA PORTADA DE LIBRO, 1931

35. PORTADA DE LIBRO, 1932

Beneficencia Pública en el Distrito Federal

RADIO-CONCIERTO POR DEMENTES DE LA CASTAÑEDA

Miércoles 24 de Febrero. - De las 21 a las 22 h.

ESTACION RADIO-DIFUSORA X. E. F. O. 940 KILOCICLOS

Por primera vez en el mundo, los enajenados transmitirán su canto por radio.

¡¡¡ESCUCHELOS USTED!!!

36. **CONCIERTO DE LOCOS**
    GRABADO EN MADERA DE HILO PARA CARTEL, 1932

37. ¡QUÉ SUSTO! URSS   T
    GRABADO EN MADERA DE PIE, 1932

38. TERTULIA
GRABADO EN MADERA DE PIE, 1933

39. EL ACCIDENTE
GRABADO EN MADERA DE HILO, 1934

40. **EL "JUAN"**
GRABADO EN MADERA DE PIE, 1934

41. VIÑETA PARA PORTADA DE LIBRO,
    GRABADO EN MADERA, 1934

42. **EL RAPTO**
GRABADO EN MADERA, 1934

43. **EL MEXICANISMO DE LOS FACHISTAS**
GRABADO PARA PORTADA DE REVISTA, 1934

Es Fachista el Plan Sexenal

"Roosevelt Hitler de los U. S. A"

¿Es fachista la N. R. A.? Tal afirmación parecía a muchos calumniosa. Se sostenía que el "National Recovery Act" (Acción Rehabilitadora Nacional) era un organismo revolucionario, casi socialista, destinado a devolver la prosperidad a los Estados Unidos. Demagogos de todos los países del mundo escribieron y hablaron en forma exaltadamente elogiosa sobre ésta. Se llamó al Presidente Roosevelt (la figura visible de la "salvadora" empresa) "el más grande revolucionario economista de los tiempos presentes". Algunos países de la América Latina, con México a la cabeza, se adelantaron en la imitación del sensacional programa. Así surgió aquí el plan sexenal.

Pero es el caso que después de una intensa confesión de fracasos económicos por parte de los propios voceros de la clase capitalista, sin mencionar el criterio casi unánime de los trabajadores norteamericanos, la prensa de la Alemania nazista se encarga de afirmar y de demostrar que entre la teoría y la práctica de la N. R. A. y del "Partido Nacional Socialista Alemán" existen muy serias semejanzas".

"El Universal", 14 de agosto—primera plana—cabeza de tres columnas "ROOSEVELT, HITLER DE ESTADOS UNIDOS".

SEMEJANZA DE SISTEMAS APLICADOS

Es tanta la que descubren los comentaristas en Berlín, que llaman al Presidente Norteamericano el Fuhrer de América.

Efectivamente, agregamos nosotros, la N. R. A. ha acumulado en los Estados Unidos todo el material necesario para el advenimiento de un régimen francamente fachista. En este caso, como en todos, se comprueba el pensamiento marxista. "Todo intento de planificación económica dentro del cuadro capitalista se traduce en la aplicación de formas y métodos fachistas".

Compre Bonos de CONTRA-ATAQUE

LA PROMETIDA DE HOY

¿Cómo demostrarlo?

Dejemos que lo haga precisamente un fachista franco y ortodoxo: Rubén Salazar Mallén.

Artículo de "El Universal" "La Esencia del Fascismo"

"Las esencias del fachismo son la planificación económica y el Gobierno fuerte..."

"...México mismo, ha recibido con beneplácito la elaboración del Plan Sexenal, que no es sino un intento de planificar la economía sin destruir al Capital."

Más claramente decimos ahora nosotros:

Es fachista el Plan Sexenal porque pretende convertir el Estado Burgués latifundista semi-colonial de México, en un elemento equilibrador de las clases.

Es fachista porque se basa en el arbitraje obligatorio.

Es fachista porque favorecerá indefectiblemente al monopolio.

Es fachista, en suma, porque pretende aplicar utópicamente métodos "soialistas" a la maquinaria económica capitalista.

"Querer incorporar al sistema económico capitalista los procedimientos y los métodos de organización de la economía socialista, sistemática es empresa harto desesperada; es querer casar elementos contrarios, que se excluyen necesariamente. La economía sistemática es tan inherente al régimen socialista como la concurrencia implacable (entre capitalistas, entre grupos de capitalistas o entre Estados capitalistas) y la anarquía irreductible de la producción, son inseparables de la Sociedad Capitalista," ha dicho el gran economista Grimko.

Ahora bien, siendo México un país subordinado, un país sin burguesía nacional beligerante, el Plan Sexenal no hará más que servir los intereses del Imperialismo políticamente preponderante; esto es: del Imperialismo Yanqui.

Su intento de aplicación tendrá fatalmente que desarrollarse mediante mayor explotación de las masas y más violenta represión de sus actividades emancipadoras.

El Pez por la Boca Muere

Los "Camisas Doradas" se desenmascaran como agentes del capital americano:

Escribieron en "El Universal":

"Valiéndose en algunos casos de propaganda pseudo-comunista y en otros de propaganda con apariencia comercial o con el falso propósito de llevar a cabo trabajos de organización industrial en los países de Hispano-América, los extranjeros de que se trata vienen preparando una campaña contra los Estados Unidos y procurando fomentar en los pueblos latinos un sentimiento de odiosidad hacia la Unión Americana; para anular los sentimientos que la actual administración del vecino país del norte ha procurado hacer patentes a última fecha hacia los países de la América Hispana".......

Ganemos a Thaelman

COMO UNA BATALLA VICTORIOSA CONTRA EL FACHISMO

SEGUN LAS PALABRAS TEXTUALES DE BARBUSSE

El guía y maestro del proletariado revolucionario alemán está encarcelado desde hace más de un año. El mismo tiempo que lleva Hitler en el poder. Las torturas sufridas por él son inenarrables, pero su energía y voluntad son más fuertes que la violencia sádica de sus enemigos.

Hay que arrancarlo de las manos de sus verdugos. Hay que arrancarlo de las manos del fachismo; esto es: de las garras del capital financiero que apadrina y sostiene al régimen de terror que impera tambaleante en Alemania.

Esto es perfectamente posible, mediante la acción conjunta, la acción valiente, de los trabajadores del mundo.

44. LAS BODAS DEL IMPERIALISMO Y EL PLAN SEXENAL
GRABADO PARA REVISTA, 1934

45. **EL AFILADOR**
    GRABADO PARA FOLLETO, 1934

46. PIÑATA POLÍTICA
GRABADO EN LINÓLEO, 1935

Al arriero y a las mulas

Corrido por CRISTOBAL SUAREZ.

Al arriero y a las mulas
que Hitler manda dorar
es necesario ponerlos
con verdad en su lugar.

Pensemos en lo que son
esos "camisas dorados",
criminales que alimentan
los RICOS y sus ALIADOS.

Bossero igual que Altamira,
Roque, Morán y Pedrero...
Pero ahora voy a ocuparme
solamente del arriero.

Este es Nicolás Rodríguez
de quien tengo en la memoria
nada más unas probanzas
de toda su negra historia.

Después de amolar al país
cual hijo de DE LA HUERTA
salió huyendo al OTRO LADO
hecho la mosquita muerta.

Tratando de pronunciarse
por los yanquis bien pagado
lo agarraron en San Diego
con el trasero embarrado.

La cárcel de LAVENWORTH
poco tiempo lo albergó,
¡Lamepata de 'os gringos
allí nada le pasó!

En la escuela de AL CAPONE
perfeccionó su carrera
fregando al género humano
de la siguiente manera:

Con cierto periodicucho
—"LA GUIA DEL COMPRA-
DOR"—
limosneaba a los judíos
un anuncio por favor.

Sabido es que Nicolás
nació ya para esos fines
pues la vida se ha pasado
detrás de 'os tecolines.

Por las noches le prendía
sus velitas a Santana,

aquel cojo que vendiera
media NACION MEXICANA.

"Padre Antonio, —le decía—
ilumíname los sesos;
dispuesto estoy a imitarte
para llenarme de pesos."

EL TRAIDOR le contestó:
—Hijo, habla mucho DE PA-
TRIA,)
pues gracias a eso yo
me retaqué de harta plata.

Nicolás con tal consejo
en la mañana siguiente
se asoció a otro bandido,
un gringo terrateniente.

Tramaron entre los dos
despojar al mexicano
de sus bienes por la tierra
yerma del americano.

De los Angeles al norte
esos terrenos están;
no pasan ferrocarriles
por ellos y NADA DAN.

Pero Nico en su revista
"LA GUIA DEL COMPRADOR"
comparaba aquel desierto
a un EDEN ENCANTADOR.

Y luego en SANTA SUSANA
un garito organizó
"GRAN CASINO MEXICANO"
recuerdo que lo llamó,

donde a emborrachar llevaba
como alcahuete del gringo
a los pobres mexicanos
las mañanas del domingo.

Al atardecer ya estaban
los paisanos inocentes
por el juego desplumados
y por el trago inconscientes.

Preparados los testigos,
contratos y el expediente
a firmar les instigaban
Nico y el terrateniente.

Cuando el lunes despertaban
los ingenuos mexicanos
veían que sus pocos bienes
habían pasado a otras manos.

Si a entregar su propia casa
el PAISA se resistía
el gringo y DON NICOLAS
lo echaban con policía.

Que vida de sacrificios
y de tanto trabajar
era cuanto se robaban
no se daban a pensar.

De la noche a la mañana
NICO desapareció
y todo incauto paisano
en la miseria quedó.

Mientras, Nicolás tiraba
de privaciones dinero
que por prestarse de GANCHO
le pagó el rico extranjero.

Huyendo con su rapiña
al PASO-TEXAS llegó
el tal Nicolás Rodríguez
y otro negocio planeó.

"FERIA DE REVOLUCION"
en Chihuahua proclamó
y a todos los Municipios
uno por uno sableó,

Contrabandista de drogas
a Nicolás no le digo
porque puedo vomitar
si todo les cuento y sigo.

Sólo pongo aquí en el sol
unos trapitos colgados,
chica muestra de quien es
EL JEFE DE ESTOS DORADOS.

E igual que el de Cananea
este corrido se apunta,
pues en la cárcel debieran
estar DON NICO Y SU YUNTA.

Guerra y Fachismo

1918 sólo marcó un armisticio, una tregua de la guerra imperialista iniciada en el 14. Los propios "tratados de paz" contenían ya el origen de la guerra que ahora viene. Versalles, ese collar de hierro puesto al cuello de los países vencidos por los bandoleros capitalistas ingleses, franceses, italianos y norteamericanos, ha sido el esencial propagador de los más viles sentimientos patrioteros entre el pueblo alemán, corrompido ya por una tradición de altanería y odio de raza. Allí se incubó el fachismo hitleriano en el poder. Y hasta pasados tres años de gobierno no se le ocurre al bufón Hittler violar el Tratado de Versalles, a manera de flamante jeringa para inyectar más brutalidad al pueblo y arrojarlo a la matanza. Tal rasgo no es sino producto de la desesperación, de la impotencia del régimen nazi para aliviar la situación espantosa de miseria por que atraviesa Alemania. Si en vez de subir Hittler hubiera triunfado una revolución proletaria, las cláusulas del Tratado de Versalles relativas a Alemania hubieran desaparecido en el instante mismo de establecerse el gobierno soviético y, por consiguiente, la inminencia actual de otra guerra imperialista estaría neutralizada.

Después de atacar tanto a los judíos, Hittler decreta "que hasta los obreros de esa raza deben trabajar en las fábricas de armamentos." La prensa capitalista informa que el Japón tiene destinado el 50% (la mitad) de sus ingresos para presupuesto de guerra.

Sin embargo, desde Hittler, el delincuente más sombrío que conoce la historia de la Humanidad, toda la hipocresía representativa del capitalismo corea la paz. Hasta el papa se dice defensor de la paz. Pero ya lo veremos bendiciendo cañones como en la guerra del 14. La veremos marchar por las calles de las ciudades a los clérigos, crucifijos en alto, incitando a los soldados para matar en nombre de Dios.

La verdadera paz sólo la podrán imponer los obreros y campesinos si fraternizan en los frentes de batalla y, reconociendo que entre explotados no hay nada que pelear, cada quien vuelve sus armas a sus respectivos países, para hacer la revolución e instaurar en ellos los gobiernos de obreros, campesinos y soldados, que supriman definitivamente el feroz yugo de sus correspondientes capitalistas explotadores.

**MARZO
1935**

HOJA POPULAR No. 1

**LEAR
LIGA ESCRITORES
Y ARTISTAS RE-
VOLUCIONARIOS**

47. **CASATENIENTE**
GRABADO EN MADERA PARA VOLANTE, 1935

ComO PretendeN

Aterrorizar a las MASAS TRABAJADORAS los ESBIRROS ASESINOS A SUELDO del Capitalismo.

EL ATENTADO DE STO. DOMINGO CONTRA EL PUEBLO TRABAJADOR: Mujeres arrastradas, niñoS lastimados, estudiantes y obreros heridos a balazos, hogares Saqueados.

Los "Camisas Dorados" entran en acción para establecer en México el "terror fachista"

¡Una manifestación popular de obreros, campesinos y estudiantes, rota con lujo de barbarie, por un asalto de "camisas dcradas"! ¡El local de una organización revolucionaria, saqueado y quemado, en presencia de la policia, que prestó la complicidad de su abstención, ayudando a la impunidad de los ladrones asaltantes, que se quieren hacer aparecer como politicos y sólo son forajidos a sueldo del capitalismo, para aterrorizar a los trabajadores e impedirles que luchen en defensa de sus intereses de clase!

¡Asi han comenzado Mussolini en Italia, Hitler en Alemania, Dolfuss en Austria, Lerroux en España y todos los asesinos y explotadores de las masas trabajaderas!

¡ALERTA! Obrero, Campesino, Estudiante, Empleado, Intelectual, Pequeño Comerciante. ¡Defiéndete contra el terror blanco y contra la marcha del fachismo en México, ingresando a la "Liga Nacional contra el Fachismo y la Guerra Imperialista"!

¡¡Todos los trabajadores contra los "camisas" de todos colores!

¡ ABAJO LOS ASESINOS DE LOS TRABAJADORES !

LIGA DE ESCRITORES Y ARTISTAS REVOLUCIONARIOS.

48. **COMO PRETENDEN**
GRABADO EN MADERA PARA VOLANTE, 1935

49. **TALLER-ESCUELA DE ARTES PLÁSTICAS**
GRABADO PARA CARTEL, 1935

50. **EL MACHETE Y EL MAZO**
GRABADO EN MADERA DE PIE, 1936

51. EL GRAN OBSTÁCULO
GRABADO EN LINÓLEO, 1936

"MAÑANA"

COMO forjamos el hierro forjamos días nuevos,

Sudorosos y fuertes,
descenderemos a lo profundo
y arrancaremos a sus entrañas las nuevas conquistas.

Ascenderemos a las montañas,
y el sol nos llenará de su vida;
seremos pedazos de sol.

Forjaremos otra vida grandiosa y humana;
la eternizaremos con un potente esfuerzo unánime.
Y bajo el ojo virgen de los amaneceres
cantaremos a la fuerza creadora del músculo
y a la armonía fraterna de las almas.

Muchos,
y seremos solo uno.
Para el gran canto solo tendremos una voz.

Cantaremos al hierro,
a la belleza fuerte y nueva de la máquina.

Los yunques, los tractores
que violan a la tierra en cópula mecánica;
la turbina, el dinamo;
la fuga infinita de los rieles,
sistema venoso de acero por donde circula la vida,
Los canales de luz de los cables eléctricos,
células cerebrales del mundo,
donde vibra la fuerza.

Cantaremos al hierro, porque el mundo es de hierro,
y somos hijos del hierro;
pero estaremos sobre la máquina.

Un sentimiento nuevo brotará en nuestros pechos,
y será tan inmenso,
que para amarlo seremos solo un corazón.

¿Dónde estará entonces nuestra amargura?
¿Dónde estará entonces nuestra amargura?

Como forjamos el hierro forjaremos otros siglos.
Enjoyados de júbilo
los nuevos días nos verán,
musculosos y fuertes de lidiar frente al sol.

Vendremos de los campos, de los establos, de los talleres:
cada instrumento del trabajo convertido en un arma:
—una sierra, un martillo, un cuchillo, una hoz—
y cosecharemos la tierra como un ejército en marcha,
saludando a la vida con nuestro canto unánime.

REGINO PEDROSO

EDICION ESPECIAL

EL MACHETE
PERIODICO OBRERO Y CAMPESINO
PROLETARIOS DE TODOS PAISES UNIOS

DEDICADA A LOS
Congresos de Unidad y Frente Popular Antimperialista
PRIMERA SECCION

NUM. 589 Director: HERNAN LABORDE — México, D. F. Sábado 22 de Febrero de 1936

La L.E.A.R. saluda a los Congresos de Unidad Sindical y del Frente Popular Antimperialista.

Colaboran en la parte artística de este número:

LEOPOLDO MENDEZ
FERNANDO GAMBOA
JESUS GUERRERO GALVAN
JULIO DE LA FUENTE
MIGUEL PIÑA
FELICIANO PENA
HERMANOS ALONSO

Todos miembros de la Sección de Artes Plásticas de la L. E. A. R.

52. ¡VIVA EL CONGRESO DE UNIFICACIÓN PROLETARIA!
GRABADO EN LINÓLEO, 1936

53. **EL FASCISMO I**
GRABADO EN MADERA, 1936

54. EL FASCISMO II
GRABADO EN MADERA, 1936

T

55. LA PROTESTA
GRABADO EN LINÓLEO, 1937

56. EL DESFILE
LITOGRAFÍA, c. 1937

57. ILUSTRACIÓN PARA PORTADA DE LIBRO, 1937

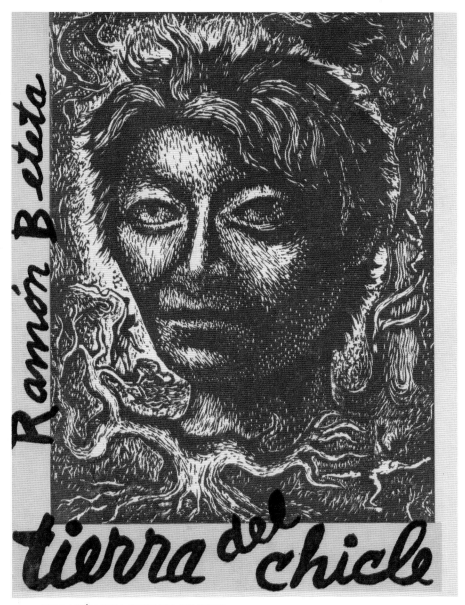

58. ILUSTRACIÓN PARA PORTADA DE LIBRO,
    GRABADO EN MADERA, 1937

59. RÍO BLANCO
LITOGRAFÍA PARA CALENDARIO, 1937

60. CORRAN QUE AHÍ VIENE LA BOLA
LITOGRAFÍA PARA CALENDARIO, 1937

MAESTRO TU ESTAS
SOLO CONTRA:

- LAS GUARDIAS BLANCAS ASESINAS
- LOS IGNORANTES AZUZADOS POR LOS RICOS
- LA CALUMNIA QUE ENVENENA Y ROMPE TUS RELACIONES CON EL PUEBLO

COMBATE CON LA PROPAGANDA
ILUSTRADA QUE ES ARMA EFECTIVA

61. **MAESTRO TÚ ESTÁS SOLO [. . .]**
GRABADO EN LINÓLEO PARA VOLANTE, 1938

62. **UNIDAD, CTM**
LITOGRAFÍA PARA CARTEL, 1938

63. UNDERSTAND MEXICO THROUGH U.O.!
LITOGRAFÍA PARA CARTEL, c. 1938

"......llevar a la consciencia de las masas populares, la convicción de que la necesaria eliminación de las guerras imperialistas depende de la solidaridad de los trabajadores.............." "......El Congreso Pacifista de todos los trabajadores libres del mundo significariá la más enérgica y universal reprobación de los falsos principios de la libertad que se invocan para encubrir las finalidades especulativas de los capitanes de industria......"

Lázaro Cárdenas, Presidente de la República.

EDICION DEL TALLER EDITORIAL DE GRAFICA POPULAR.

64. **EL IMPERIALISMO Y LA GUERRA**
LITOGRAFÍA PARA VOLANTE, 1938

65. A LAS PUERTAS DE MADRID
LITOGRAFÍA, 1938

66. PROFESOR ARNULFO SOSA PORTILLO
LITOGRAFÍA, 1939

67. **PROFESOR JUAN MARTÍNEZ ESCOBAR**
    LITOGRAFÍA, 1939

Corrido de DON CHAPULIN

Don Chapulín Chapulón:
compra y guarda mercancías
y, cuando hay escasez,
comienza la carestía.

Señores: voy a cantarles
algo que a todos les pasa,
obreros y campesinos
no saben pa quién trabajan.

Don Chapulín, de levita
y bigotes retorcidos,
sobre sus patas peludas
comienza a pegar brinquitos.

¿Por qué pega tantos brincos
estando el suelo parejo?
Es porque tiene harto gusto
y no le cabe en el cuerpo

Antes de que amaneciera
asomó la cabecita,
se paró casi dormido
cuando llamaban a misa.

Que se echa sus tacos de hojas
con un frijol muy tiernito,
hasta dejarlo encuerado
y muriéndose de frío.

Paséandose entre la milpa
come y come, come y come,
con tanta prisa el maldito
que se le tapó el gañote.

Dió unos tragos en un charco
y estaba tan atorado,
que sin darse cuenta el sonso
se le fueron renacuajos.

De verse llena la panza
saltaba tan recontento:
sin trabajar, todo de oquis,
¡que trabajen los... pescuezos!

La nube de chapulines
al olor de la cosecha,
se relame avorazada
y como un avión se acerca.

Y grita a los campesinos:
—¡Yo les merco lo que tengan,
al precio que yo le fije.
—seguro que por la buena—

y no me digan que no,
porque será aunque no quieran!"

Los pastores con sus hondas
le tiran al nubarrón,
pero antes de que le atinen
mejor le pegan al sol.

Don Chapulín Chapulón
tengo enfermos mis chiquitos,
emprésteme Ud. unos pesos
que los pagaré lueguito.

Don Chapulín presta luego,
luego luego, lueguecito,
si le empeñas la cosecha,
las tierras y animalitos.

Don Chapulín Chapulón
yo le doy muy regalado,
¡ándele!, compre en lo justo,
que estoy muy necesitado.

No se aproveche, señor,
mire que estoy amarrado,
que todos somos arrieros
y por el camino andamos,
un día su mercé será
el que pagará muy caro.

Don Chapulín Chapulón
compra y guarda mercancías,
y, cuando hay escasez,
comienza la carestía.

El Chapulín ya se fué
y se llevó la cosecha,
sólo quedan en los campos
rastros de su baba negra.

Y cuando las siembras quedan
taladas por la miseria,
todavía los chapulines
se quieren comer las piedras.

Contra el mal del chapulin
existen muchos remedios,
yo sé, que el mejor de todos,
es retorcerle el pescuezo.

¡Zumba y brinca el chapulín,
ya lo vienen correteando
y con la lengua de fuera,
se acuerda de sus pecados!

¡Zumba y brinca el chapulín,
brinca y zumba por detrás,
no lo dejen que se escape,
atájenlo por allá!

Don Chapulín llegó al pueblo,
primero fué a comulgar
con todos sus pistoleros;
luego les dijo:—¡A comprar!;
¡y al que no quiera vender,
me lo reportan nomás!

No se asusten compañeros,
que en peores nos hemos visto:
sea mauser o treinta-treinta,
lo que tengan escondido

Y comenzó el desgarriate,
las carreras y los tiros.
Al Chapulín le templó
de verse tan mal herido.

Agarrándose la panza
se quejaba adolorido:
—¡"Quién me manda sembrar odios,
para recoger tronidos"!

¡Q'ihúbole Don Chapulin!
¡Qué pasó con sus echadas!
¡Ora si le venderemos,
pero una pura... brincada!

Ya murió Don Chapulin,
ya lo llevan a enterrar,
entre cuatro agraristas
y el Comisario Ejidal.

Ya con ésta me despido
y si me voy, no es por mi:
es que tengo quién me compre,
en el pueblo, mi maíz,
al mejor precio del año
que no paga el Chapulin.

Hoja del Taller de Gráfica Popular

CORRIDO DE DON CHAPULIN

*Don Chapulín Chapulón
compra y guarda mercancías
y, cuando hay escasez,
comienza la carestía.*

Señores: voy a cantarles
algo que a todos les pasa,
obreros y campesinos
no saben pa quién trabajan.

Don Chapulín, de levita
y bigotes retorcidos,
sobre sus patas peludas
comienza a pegar brinquitos.

¿Por qué pega tantos brincos
estando el suelo parejo?
Es porque tiene harto gusto
y no le cabe en el cuerpo.

Antes de que amaneciera
asomó la cabecita,
se paró casi dormido
cuando llamaban a misa.

Que se echa sus tacos de hojas
con un frijol muy tiernito,
hasta dejarlo encuerado
y muriéndose de frío.

Paséandose entre la milpa
come y come, come y come,
con tanta prisa el maldito
que se le tapó el gañote.

Dió unos tragos en un charco
y estaba tan atorado,
que sin darse cuenta el sonso
se le fueron renacuajos.

De verse llena la panza
saltaba tan recontento:
sin trabajar, todo de oquis,
¡que trabajen los...pescuezos!

La nube de chapulines
al olor de la cosecha,
se relame avorazada
y como un avión se acerca.

Y grita a los campesinos:
—"Yo les merco lo que tengan.
al precio que yo les fije.
—seguro que por la buena—
y no me digan que no,
porque será aunque no quie-
(ran!

Los pastores con sus hondas
le tiran al nubarrón,
pero antes de que le atinen
mejor le pegan al sol.

Don Chapulín Chapulón:
tengo enfermos mis chiquitos,
emprésteme Ud. unos pesos
que los pagaré lueguito.

Don Chapulín presta luego,
luego, luego, lueguecito,
si le empeñas la cosecha,
las tierras y animalitos.

Don Chapulín Chapulón
yo le doy muy regalado,
¡ándele!, compre en lo justo,
que estoy muy necesitado.

No se aproveche, señor,
mire que estoy amarrado,
que todos somos arrieros
y por todo el camino andamos,
un día su mercé será
el que pagará muy caro.

Don Chapulín Chapulón
compra y guarda mercancías,
y, cuando hay escasez,
comienza la carestía.

El Chapulín ya se fué
y se llevó la cosecha,
sólo quedan en los campos
rastros de su baba negra.

Y cuando las siembras quedan
taladas por la miseria,
todavía los chapulines
se quieren comer las piedras.

Contra el mal del chapulin
existen muchos remedios,
yo sé, que el mejor de todos,
es retorcerle el pescuezo.

¡Zumba y brinca el chapulín,
ya lo vienen correteando
¡Zumba y brinca el chapulín,
se acuerda de sus pecados!

y con la lengua de fuera,
brinca y zumba por detrás,
no lo dejen que se escape,
atájenlo por allá!

Don Chapulín llegó al pueblo,
primero fué a comulgar
con todos sus pistoleros;
luego les dijo:—¡A comprar!:
¡y al que no quiera vender,
me lo reportan nomás!

No se asusten compañeros,
que en peores nos hemos visto:
sea mauser o treinta-treinta,
lo que tengan escondido....

Y comenzó el desgarriate,
las carreras y los tiros.

Al Chapulín le templó
de verse tan mal herido.

Agarrándose la panza
se quejaba adolorido:
—"¡Quién me manda sembrar
(odios,
para recoger tronidos"!

¡Q'ihúbole Don Chapulin!
¡Qué pasó con sus echadas!
¡Ora si le venderemos,
pero una pura... brincada!

Ya murió Don Chapulin,
ya lo llevan a enterrar,
entre cuatro agraristas
y el Comisario Ejidal.

Ya con ésta me despido
y si me voy, no es por mi:
es que tengo quién me compre,
en el pueblo, mi maíz,
al mejor precio del año
que no paga el Chapulin.

Hoja del Taller de Gráfica Popular

68, 69. CORRIDO DE DON CHAPULÍN
ZINCOGRAFÍAS PARA VOLANTES, 1940

Con una Piedra se Matan Muchos Pájaros... Nalgones

NIDO DE LAS CIAS. PETROLERAS

"EL JUICIO APASIONADO Y SUPERFICIAL DE LOS QUE CRITICAN LA OBRA DE LOS GOBIERNOS REVOLUCIONARIOS Y EXIGEN DE ELLOS EL EXITO INMEDIATO DE SU PROGRAMA, OLVIDA MALICIOSAMENTE LA RESISTENCIA PODEROSA DE LOS INTERESES AFECTADOS QUE, DURANTE SIGLOS HABIAN ARRAIGADO UN REGIMEN QUE SE HA MANTENIDO EN ACTITUD DE LUCHA EN CONTRA DE LOS IMPULSOS DE JUSTICIA SOCIAL, Y QUE EN ALIANZA CON LAS FUERZAS EXTERIORES, QUE SOLO PERSIGUEN EL APODERAMIENTO DE NUESTROS RECURSOS NATURALES Y LA EXPLOTACION DE NUESTRAS ENERGIAS HUMANAS, AUN CONSTITUYEN OBSTACULOS QUE, SUMADOS AL LASTRE DE IGNORANCIA, DE MISERIA, DE INSEGURIDAD Y DE ABATIMIENTO BIOLOGICO Y MORAL DE LAS MAYORIAS PROLETARIAS, EVITAN QUE EL ESFUERZO CONSTRUCTIVO SE CONSOLIDE Y SE REALICE DE UNA MANERA EFICAZ PARA SATISFACER LAS CRECIENTES NECESIDADES DE LA POBLACION EN UN REGIMEN MAS HUMANO Y MAS JUSTO".

LA PRENSA MISMA DE TODA LA REPUBLICA HA GOZADO DE TODO GENERO DE GARANTIAS PARA ATACAR AUN SIN JUSTIFICACION, AL GOBIERNO. TODAVIA MAS, EL PERIODISMO EN MEXICO HA CONTADO, NO SOLAMENTE CON LA TOLERANCIA, SINO CON EL APOYO DEL PODER EJECUTIVO QUE REPRESENTO, POR TAL MOTIVO, LAS DIATRIBAS Y LAS CALUMNIAS ME HAN PARECIDO DE POCA IMPORTANCIA..."

LAZARO CARDENAS

CHILPANCINGO, GRO., FEBRERO 20 DE 1940.

¡Viva Lázaro Cárdenas!

¡ABAJO LOS VENDE-PATRIAS, TITERES DE LAS COMPAÑIAS PETROLERAS!

Hoja del Taller de Gráfica Popular.

70. CON UNA PIEDRA SE MATAN MUCHOS PÁJAROS... NALGONES
GRABADO EN LINÓLEO PARA VOLANTE, 1940

71. **NUEVA YORK**
ZINCOGRAFÍA, 1940

72. **LA CARTA**
GRABADO EN MADERA DE PIE, 1942

73. **MARISCAL S. TIMOSHENKO. SUS TRIUNFOS SON LOS NUESTROS**
LITOGRAFÍA PARA CARTEL, 1942

74. **LA VENGANZA DE LOS PUEBLOS**
GRABADO EN LINÓLEO PARA HOJA VOLANTE, 1942

75. **DEPORTACIÓN A LA MUERTE**
   GRABADO EN LINÓLEO, 1942

76. PORTADA DE LIBRO
GRABADO EN MADERA, 1943

77. MONOPOLIO
GRABADO EN LINÓLEO, 1943

78. **MERCADO NEGRO**
   GRABADO EN LINÓLEO, 1944

79. **EX LIBRIS DE RONALD CAMPBELL**
GRABADO EN MADERA DE PIE, 1944

80. PORTADA DE LIBRO
GRABADO EN MADERA DE PIE, 1944

1

EN Chencój,* poblado entre las selvas de Campeche, un *tzotz*, un murciélago, oye atento.

La historia se brinda bajo el susurro del indio abuelo, por las noches, a la intemperie, con luna, tenue brisa y junto a la sombra de los aleros de una choza. Empieza diciendo —nunca se olvida— que ocurrió poco después de que aparecieran los primeros hombres, cuando nos entendíamos con los animales, pues éstos y aquellos hablábamos todos un idioma igual o semejante. Entonces no había intérpretes ni

* Pozo del puma.

81. **TZOTZ (EL MURCIÉLAGO)**
GRABADO EN SCRATCH-BOARD PARA LIBRO, 1944

ra entonar un responso; sin duda que al oírte los cercanos amigos de tu difunto marido vendrán a acompañarte en tu duelo y a honrar los funerales".

Secándose las lágrimas y erguida cuanto pudo, emite al viento su elegíaca voz a la manera de la época:

Tacán - tacán ché
ti it mam'shcuqué.
Tan - kan-cab
Tireró,
jen-jen,
un pac - u-kay
toj la-kin,
toj chi-kin,
cach-yun-tun
-tab u-jole
un puli
u'u-man-yok zuup.

(Allá, por la llanura
de rojo barro,
le pegaron a don Ardilla
un golpe en el trasero.
Mientras cantaba feliz
al Oriente
y al Occidente
le tiraron,
y el mortal proyectil,
que, zumbando,
cortó el espacio, le hirió
y ahogó su canto.)

20

82. CANTO FUNERAL DE DOÑA CARACOL
GRABADO EN SCRATCH-BOARD PARA LIBRO, 1944

Deshecha de nuevo la viuda en lloro incontenible, advierte un ruido que denota la proximidad de un animal. Asoma éste su cara entre la urdimbre del boscaje y llega. Es el decano Jabalí.

—Amigo Jabalí: vuestra experiencia me releva de toda obvia explicación; ved aquí, de cuerpo presente, lo sucedido y la causa de mi pena. Servíos pasar y acompañarme en el responso al alma de mi difunto idolatrado —dice doña Caracol, e inmediatamente, después de hondos suspiros, todavía con lágrimas a raudales en los ojos, adopta la más entristecedora al par que solem-

21

83. EL DECANO JABALÍ
GRABADO EN SCRATCH-BOARD PARA LIBRO, 1944

de prelados y juristas, personificada en un *Kipchoj* (*piana caiana termophila*), pájaro agorero que, a trueque de no poder volar alto, anda bajo el arbolado alimentándose de gentílicas abejas y es de plumaje amarillento, larga cola, color blanco por la parte del

pecho, garra dura y corvo pico, del cual respondiese a la cándida paloma:

—¡*Bay ualé! Sapat-cushté*... ¡*Sapat-cushté!* (¡Quién sabe! **Masca** eso despacio... ¡Máscalo despacio!)

84. EL ENTIERRO DEL SEÑOR ARDILLA
GRABADO EN SCRATCH-BOARD PARA LIBRO, 1944

responden al saludo con el medroso respeto digno de la jerarquía y alto sitial que guarda el Zopilote. En seguida, tras de pedir el reglamentario perdón por su tardanza, debida —explica— a sus múltiples ocupaciones y negocios por lejanas tierras, solicita de la viuda que alce otra vez su canto, para que la raza de zopilotes pueda, por conducto de su *batab* o jefe, participar en tan brillantes exequias del conspicuo don Ardilla.

Los presentes, en general, menos el Armadillo, que a fuer de rudo obrero no puede prestar atención sino a la fosa que cava con sus uñas al son infatigable de su *muc, muc* (entiérrenlo, entiérrenlo), aprueban la solicitud en uniforme aplauso. Accede presto

85. EL ARMADILLO CAVA LA FOSA
GRABADO EN SCRATCH-BOARD PARA LIBRO, 1944

de tortuga
y dice:
"¿Hay una sagrada piel de tigre
donde asentar
mi instrumento de este Carnaval?"

—¿*Acaso estás ebrio, cantor?*
¡Cuidado rompas el tunkul!,
¡cuidado con la flauta!,
¡cuidado con romper la propia tarola
de concha
de tortuga
de nuestro Carnaval!
¿Altera tu razón el torrente de esta baraúnda,
o ya te sientes agotado, ahíto de tocar?

—Entonces grita
y grito:
"¡Felicidades a todos! Buenos días
y con la venia de mi Abuelo
(que no por la de Dios, insisto,
sino la de Satán) vengo
a los umbrales de las puertas a cantar
este Carnaval
entre un mico y un tejón".

—*Tíralos lejos*
y tú sésgate del camino de ellos
porque asoma el Sol
y estruendoso te grita
que hasta la opuesta orilla
brotará el rosal.

46

—Otra vez grito yo:
"¡Ay, las muchachas del Verano,
las jovencitas
que hace tantos años
quise o me quisieron!
¿Serían
oropéndolas acaso?
¿Pájaros carpinteros
de los que pican la corteza
del árbol,
de los que agujeran y penetran?
¿De cuáles?
¿De los que la médula del palo
abren y parten,
o de los que rebanan la madera?"

—*Espúlgate los recuerdos*
y numéralos tú mismo;
pero sésgate del camino
y ve hacia donde la luz quiere asomar
y brotará de nuevo tu rosal.

—Hermana de mi padre y de mi madre,
a tí te grito, ¡tía!

—¿*Dónde estás, hijo,*
dónde andas, corazón?

—No lo sé, ni sé por dónde;
pero vengo del río.

—¿*Qué traes de regreso?*

47

86. **LA PIEL DE TIGRE**
 GRABADO EN MADERA DE PIE PARA LIBRO, 1944

87. **ESPÚLGATE LOS RECUERDOS**
 GRABADO EN MADERA DE PIE PARA LIBRO, 1944

88. **LUCHA POR EL CARBÓN**   T
    GRABADO EN SCRATCH-BOARD, 1944

89. **EL RAYO** ⊺
   GRABADO EN MADERA, 1944

90. VIÑETA PARA INVITACIÓN
    GRABADO EN LINÓLEO, 1944

91. **LO QUE PUEDE VENIR**
GRABADO EN MADERA DE PIE, 1945

ANSINA MARIA

VIÑETAS DE LEOPOLDO MENDEZ

COLECCION "LUNES"

16

MEXICO, D. F.
1945

92. **CORREO AÉREO**
VIÑETA PARA PORTADA DE LIBRO,
GRABADO EN MADERA DE PIE, 1945

93. PORTADA PARA CARPETA DE GRABADOS, 1945

94. EL HAMBRE EN LA CIUDAD DE MÉXICO EN 1914-1915
GRABADO EN LINÓLEO, 1947

95. **CTAL**
GRABADO EN LINÓLEO PARA CARTEL, 1948

96. **LUCHA CONTRA LOS PROVEEDORES DE UNA NUEVA GUERRA**
GRABADO EN MADERA PARA FILMINA, 1949

97. **SOBREPRODUCCIÓN**
LITOGRAFÍA PARA FILMINA, 1949

98. **SILVESTRE REVUELTAS MUERTO**
GRABADO EN LINÓLEO, 1949

99. **REFUGIADOS ESPAÑOLES**
GRABADO EN LINÓLEO, 1952

100. **EN EL CAMIÓN**
GRABADO EN METAL, S.F.

A

B

101. A, B, C, D, E, CINCO GRABADOS EN MADERA PARA EL PROCESO
DE LA OBRA EN COLOR **ES PEOR SOBREVIVIR** [102]

C

D

E

102. **ES PEOR SOBREVIVIR**
GRABADO EN MADERA, 1958

103. **LAS ANTORCHAS** [PELÍCULA **RÍO ESCONDIDO**]
GRABADO EN LINÓLEO, 1947

104. ¡BESTIAS! [PELÍCULA RÍO ESCONDIDO]
GRABADO EN LINÓLEO, 1947

105. **EL BRUTO** [PELÍCULA **RÍO ESCONDIDO**]
GRABADO EN LINÓLEO, 1947

106. **LA SIEMBRA** [PELÍCULA **PUEBLERINA**]
GRABADO EN LINÓLEO, 1948

107. **EL CARRUSEL** [PELÍCULA **PUEBLERINA**]
GRABADO EN LINÓLEO, 1948

108. **ZAPATA** [PELÍCULA **PUEBLERINA**]
GRABADO EN LINÓLEO, 1948

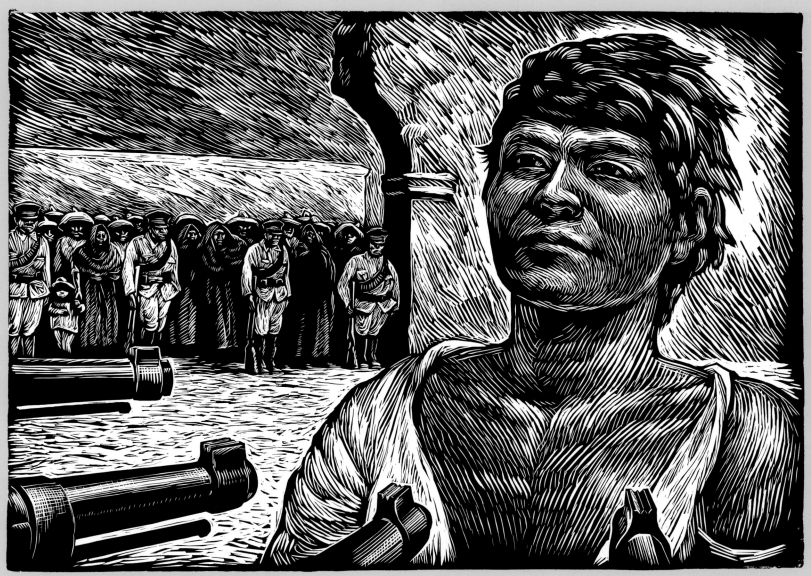

109. **FUSILAMIENTO** [PELÍCULA **UN DÍA DE VIDA**]
GRABADO EN LINÓLEO, 1950

110. **HOMENAJE PÓSTUMO** [PELÍCULA **UN DÍA DE VIDA**]
GRABADO EN LINÓLEO, 1950

111. **EL REBOZO** [PELÍCULA **EL REBOZO DE SOLEDAD**]
GRABADO EN MADERA DE HILO, 1952

112. **LOS COLGADOS** [PELÍCULA **LA REBELIÓN DE LOS COLGADOS**]
GRABADO EN LINÓLEO, 1954

113. **PORFIRIO DÍAZ** [PELÍCULA **ROSA BLANCA**]
GRABADO SOBRE PELÍCULA, 1961

CALAVERAS DEL MAUSOLEO NACIONAL
Sugeridas por "Llamadas proletarias" (?), ata-
hueso en música (?) de Chávez.
RIVA PALACIO.—¡Echenme fuera, gendar-
mes, (llamando) al peladaje gritón!
DIEGO RIVERA.—¡Bravo!, pues en paz no de-
jan gozar nuestro vacilón.
(¡Y siguen las "llamadas!...)

114. **CALAVERAS DEL MAUSOLEO NACIONAL**
GRABADO EN MADERA DE PIE PARA PORTADA DE REVISTA, 1934

115. **MONOPOLIO**
    GRABADO PARA REVISTA, 1936

116. **CORRIDO DE STALINGRADO**
     GRABADO EN LINÓLEO PARA CALAVERAS DE 1942

117. **GREGORIO CÁRDENAS**
GRABADO EN LINÓLEO PARA CALAVERAS DE 1942

Paren la oreja señores,
sírvanse compadecer,
a este pueblo que no canta
porque no puede comer.
Pues es tal la carestía
que así, como sin querer,
se comió su propia lengua
y al otro mundo se fué.

Comerciantes, agiotistas,
senadores, diputados,
banqueros y periodistas,
me tienen bien amolado.
La política oficial
para abaratar los precios,
sólo puede impresionar
a los tontos y a los necios.

Primero, intervencionismo,
luego, libre concurrencia,
pero lo cierto es que sigo
en la mayor indigencia.
Coyotes y contratistas
siguen haciendo millones,
mientras que yo compro menos
con los recientes tostones.

Dizque a causa de la aftosa
en bacines enlatada,
los gringos nos han enviado
leche muy adulterada.
Pero un día de esto, señores,
con el rifle sanitario,
a todos los hambreadores,
he de mandar al osario.

118. KLIM MILK
GRABADO EN LINÓLEO PARA CALAVERAS DE 1947

119. **EX LIBRIS DE HAROLD LEONARD** ☐T
GRABADO EN MADERA DE PIE, c. 1947

CALAVERAS TELEVISIOSAS
todo por un hoyito

120. **ORA SÍ YA NO HAY TORTILLAS, PERO... ¿QUÉ TAL TELEVISIÓN?**
     GRABADO EN LINÓLEO PARA CALAVERAS DE 1949

121. **ARCOS Y CHARCOS**
GRABADO EN LINÓLEO PARA CALAVERAS DE 1951

Edición extraordinaria del Taller de Gráfica Popular. ● México, D. F., noviembre de 1956. ● Precio 20 Cents.

Calacas que tocan diana, con chin, chin y con jarana

Menores males causa el moderadito ejercicio de la dictadura que el abusote de las libertades ciudadanas.

GOLFO DE MEXICO

¡Yo soy la Muerte Kanaka!
Ya no le hago a aquella ancheta,
que guadaña se llamaba,
Hoy le hago a la bayoneta.
Me ando por Chiconautla,
es el Poli mi panteón;
por el Rastro y por las calles
ni de una gente hay reunión.

Una pulga en mi petate
me da la muerte chiquita.
Cuando quieras despertar
llama al General Matías.
Ay, mi gaviota, ¡recuerda!
Son los toques del tambor
El General es calaca
Ministra de Educación

El camarón se durmió.
Entre aplausos y entre dianas
el gringo se lo llevó.
De pilón le den tu hermana.
"¡Miren nomás qué malinches!"
Eso sí: con los de abajo
la bayoneta calada.

Buenos son pa reprimir,
mejores para entregar
lo que es de nuestra nación
pero de ésta no saldrán.
"¡A la tumba de un jalón!",
dijo la Muerte Kanaka,
y en su sepulcro escribió
sólo dos letritas: K K.

¡A TOQUES JOVEN!

122. **CALACAS QUE TOCAN DIANA, CON CHIN CHIN Y CON JARANA**
GRABADO EN LINÓLEO PARA CALAVERAS DE 1956

123. **LA MUERTE ENTRA EN CASA** ⊤
GRABADO EN PUNTA SECA PARA LIBRO, 1964

124. EL CHÍCHARO
GRABADO EN PUNTA SECA PARA LIBRO, 1964

125. VIÑETA EN PUNTA SECA PARA LIBRO, 1964

ESCRITOS DE LEOPOLDO MÉNDEZ

LA ESTÉTICA DE LA REVOLUCIÓN: LA PINTURA MURAL

Antes de la Revolución, la Patria mexicana, como entidad espiritual, no existía, puesto que en todas estas actividades se reducía a ser un lejano barrio de Europa. Fue necesario que la Revolución despertara al pueblo de su marasmo y haciéndolo aparecer, lograra el milagro de que México tuviera espíritu y carácter, que es lo que forma una Nación.

Prof. Germán List Arzubide, en su conferencia en la Escuela Preparatoria de Jalapa, Ver., el día 2 de septiembre de 1926.

Ha sido un feliz descubrimiento el de ese pueblo que tiene como ninguno, una gran concepción artística y un espíritu de creación muy completo. No somos un pueblo que se acomoda con facilidad a la corriente de la vida diseñada por la civilización occidental; eso les consta a todos los que siguen nuestro desenvolvimiento, desde 1910, y es que somos un pueblo con ansias de crear, queremos una existencia de acuerdo con nuestras necesidades espirituales, y estamos luchando por quitarnos ese lastre de vida extraña, artificial, fuera de nuestro ambiente, lejos de nuestro carácter que la época del general Díaz impuso como la tiranía más odiosa.

El pasado es la obra del rastacuerismo criollo, que después de robar al peón de la hacienda, se iba a Europa a malgastar ese dinero y queriendo hacer olvidar su sangre morena, se empeñaba en cubrirse con un disfraz europeo. ¿No el centroamericano Rubén Darío —Centroamérica sigue viviendo el pasado de nuestra dictadura— el poeta más criollo y más rastacuero de América, se avengonzaba de su sangre de indio chontal y hablaba siempre de sus manos de marqués?

¿Y nuestro Gutiérrez Nájera no fue el duque... Job?, ¿y otros que sólo hablaban de castillos, de princesas y de escudos? Fue la hora medieval de América en que el pueblo era el siervo desconocido.

Pero vino nuestra Revolución y los duques y marqueses se quedaron sin dinero por obra de la justicia popular y como gente sin bríos, pronto se perdieron con sus lamentaciones en la empleomanía y en el anonimismo y el pueblo mexicano apareció ante la faz del mundo.

De esta manera fue como se supo que ese pueblo tenía sus artes que había logrado conservar en toda su pureza, gracias a que la moda europeizante impidió que los mediocres aduladores del dictador la echaran a perder, acercándosele; y vimos cómo la canción popular surgió llena de emoción y de la sencillez de nuestros campesinos que ilustraron con ella la tragedia de nuestra lucha. ¿Quién no recuerda la Adelita y la Valentina, que vinieron junto con los bravos que destrozaron los batallones de Victoriano Huerta? Y luego todo ese aporte de canciones de Colima, de Jalisco, de Michoacán, de la frontera Norte, canciones que se imponen en su pureza, a pesar del empeño de músicos pésimos, educados en nuestros Conservatorios, que se aplica a "arreglarlas" y que no hacen más que acomodarlas al gusto ciudadano de las recitadoras de patio de vecindad, que son las colillas del rastacuerismo a flote en la marea de nuestra lucha.

Igual cosa podemos decir de las otras manifestaciones artísticas, pero es lo hecho y no nos importa tanto como lo que sirvió de estímulo y cimiento a la creación de un arte nuevo, de acuerdo con nuestro México, por inspirarse en el pueblo y por lo mismo, lleno de naturaleza, sano, honrado y fuerte.

Me limitaré a anotar sobre la pintura que es lo que me interesa, ya que sobre las demás artes se ha dicho mucho y porque, al fin, señalando a una, se dice paralelamente de las demás.

Cuando el pueblo apareció lleno de fortaleza, vencedor y aureolado de idealidad, conquistador de sus derechos y de los de todos los vencidos, hizo que la juventud sintiera que con él estaba la verdad y hacia él se volvió con el ansia de satisfacer su sed de futuro. Y la juventud no fue defraudada: encontró en ese pueblo todas las virtudes que la civilización europea, imperante en México, no tenía, lo halló vigoroso, idealista, justiciero, y fue decididamente hacia el pueblo.

Naturalmente, los artistas jóvenes, que por mayor espiritualidad son dos veces jóvenes, con más cariño lo abordaron y con más fe en él, vivieron y más hondamente sintieron y comprendieron a ese pueblo.

Entonces la resonancia que este sentimiento despertó, se trasmutó en el afán de hacer un arte que fuera digno de esa hora valerosa y fecunda.

Los pintores, entre los que había algunos que tenían toda la ciencia de Europa, a donde el porfirismo los había mandado para que aprendieran a copiar a los clásicos, y que esas copias sirvieran de adorno a los salones de la burguesía, se hallaron de pronto ante el espectáculo de un pueblo apasionado en plena lucha; chocó contra su vida y su recuerdo, el pasado de las multitudes domesticadas vestidas de gris, uniformadas de tedio, que se borroneaban más todavía ante las nuevas multitudes de guerreros vencedores, alimentados de montaña y de sol, hijos del paisaje robusto y por lo tanto, llenos de color y de movimiento. Entonces los pintores sintieron lo inútil de retratar cuerpos desnudos en lentas actitudes de serenidad y de abandono, en salones llenos de tapices y de almohadones, con cariño de sensuales decadentes, cuando se ofrecía el panorama de un pueblo que en su enojo contra un pasado siniestro, se presentaba como un modelo en actitudes de gigante y que prometía hacer del arte más que un entretenimiento de almas en absoluto sosiego, un vehículo de espíritus viviendo el afán y la inquietud del país. Podemos decir que la pintura salió de los talleres donde se debilitaba de aislamiento, a respirar el aire de pasión que traían los rebeldes que habían avanzado desde el campo libre hacia las ciudades domeñadas.

Pero guardar en cuadros pequeños tragedias tan grandes pareció imposible a los pintores que ya respiraban el aire de la batalla y se buscó un campo más de acuerdo con ese afán y se encontró el muro que ya otros pintores a quienes no bastaba la tela para diseñar la dura tormenta del hombre habían ocupado, y Diego Rivera, Jean Charlot, José Clemente Orozco, Ramón Alva de la Canal y Fermín Revueltas, entre otros, conquistaron como soldados revolucionarios los palacios de la burguesía y los marcaron con la imagen del pueblo descubierto en sus costumbres y en su protesta. Y ya con el ojo lleno de color y la visión gigantesca de la lucha y el campo amplio para diseñarla, la mano corrió y el pensamiento dijo lo que el pueblo había sido, lo que había hecho en su protesta, lo que sería en el futuro y lo dijo con fuerza, con altanería, como el pueblo lo hubiera dicho con voz multitudinaria; sin detenerse en detalles de momento, con tal entereza, que fue como un golpear sobre las duras cabezas de los burgueses que adivinaban detrás de esas figuras a los vencedores y se sentían castigados en sus actitudes.

La urgencia de expresar el sentimiento de un pueblo libre, de poner al servicio de la Revolución el ansia espiritual, hizo que los pintores abandonaran la concepción artística de «el arte por el arte», que obligaba o permitía cuando menos, el trabajo que se afina hacia la perfección, para cambiarlo por una obra momentánea, sin perfiles detenidos, pero que a la postre ha creado una nueva estética, la de la protesta, llena de los anhelos populares y que, como todo lo que vive de la multitud plena de rebeldía, es fuerte y es grande y nos apresa en la emoción de la batalla, que eso es la vida.

■ Revista *Horizonte*, Jalapa, noviembre de 1926, pp. 45-48.

LEOPOLDO MÉNDEZ DICE

"Qué bonito está."
El pueblo entre la pintura mamarracha y el arte

Creo que fue Platón, quizá el más platónico de los seres humanos, quien dijo que una mujer nos parece más bella entre más útil la sentimos. Lo "bello" y lo "feo" son solamente dos palabras que no tienen ninguna aplicación apropiada en relación con el arte.

Cualquier obra de arte plástica que refleje un pedazo de la vida es gustada por el pueblo, es decir, amada, no solamente entendida. Por lo ilustrativo o gráfico de la obra plástica puede ser interpretada por el pueblo bien o mal, depende de varios factores. Buscar lo puramente ilustrativo o gráfico para que lo "entienda" el pueblo, es muy frecuentemente contraproducente para la obra creativa. Mas la obra plástica simplemente ilustrativa o gráfica a menudo carece de valor artístico, pero aun así este tipo de obra puede tener preferencia popular, hasta una preferencia aparente sobre la obra de arte. Éste es el caso del consumo popular de las más grandes aberraciones de todo orden que los comerciantes vacían en los calendarios y cromos con que la sociedad capitalista en decadencia ha inundado el mundo.

Pero tratemos de explicar este fenómeno —un campesino poseyendo una cultura y una gran capacidad artística se detiene y "admira" el peor mamarracho de pintura reproducido en un calendario, pero seguramente lo que busca es lo representativo, lo ilustrativo, no el producto plástico, lo que ve es el drama fantástico, inconcebible para él.

En esta actitud suya intervienen otras cosas, es como un niño atónito frente al absurdo, y claro que como niño le atrae el halago de la simulación, de la simulación pseudo-fotográfica.

¿Decadencia o florecimiento?
El arte abstracto y la pintura mural en México

La calidad de la pintura mural no ha decaído, considerando la importancia de las obras de Orozco y Siqueiros. Lo que sucede es que los pintores, que por diversas razones se hallan en contradicción con su medio, me refiero principalmente a los llamados jóvenes, han quedado imposibilitados para continuar la tarea de los artistas del Sindicato de Pintores y Escultores, Sindicato que sabemos tuvo una vida muy corta.

Desde que comenzó el movimiento muralista de este siglo, creo que es efectivamente la pintura mural la forma más característica del arte plástico de México. Hoy lo sigue siendo no obstante que se pinte menos.

Hubo algunas tendencias hacia la pintura mural colonial ya que los frescos de Acolman llamaron la atención de algunos decoradores por los años de 23 o 24, mas afortunadamente esto no prosperó.

La pintura mural mexicana tiene caracteres internacionales, pues los artistas han tenido la suficiente inteligencia para ver en todas direcciones.

Hay muchos artistas que se creen abstractos sin tener nada de ello y otros artistas además de éstos, que llegan a afirmaciones para mí completamente absurdas. Por ejemplo, creen que Picasso es un artista 100% abstracto y por esta creencia quieren serlo ellos mismos. Incluso algunos surrealistas creen que el surrealismo tiene características abstractas. En tanto que yo no conozco todavía ningún artista plástico mexicano que propiamente pueda llamarse abstracto.

¿Florecimiento o decadencia?
Perspectiva prehispánica. Bosquejo contemporáneo

La época prehispánica creó una actividad y originalidad en las artes plásticas no igualada hasta hoy día. En tanto que la pintura mural nos caracteriza, antes de la conquista nada en las artes plásticas fue característico, sino todas las disciplinas estaban coordinadas y armonizadas en su función. La conquista fue el principio de la ruptura de la armo-

nía. Después, hasta nuestros días, alguna forma o medio ha crecido a expensas de las otras. En la actualidad la sociedad del monopolio capitalista ahoga el arte plástico, no necesita de éste ni de ningún otro. Son otras artes las que maneja...

Vivimos en la edad del mundo por excelencia mercantil.

Si el arte, o más bien dicho, la actividad artística, se basa en la demanda económica, va insensiblemente abandonando su terreno para convertirse en un comercio, el comercio más inicuo de todos. Este comercio es como el que se hace con el comercio de la religión bendiciendo los grandes coliseos. ¿Con qué fin se bendijo por el jerarca más alto de la iglesia mexicana la "Plaza México"? ¿Con qué fines se bendijeron las banderas y los cañones del fascismo para la conquista de pueblos cuyas armas eran rifles viejos, flechas y lanzas, y trincheras de paja? ¿Con qué fin se bendice a Franco?

¿Existe un arte reaccionario
y otro progresista?

El arte, bien llamado así, no puede ser reaccionario, es siempre un producto del progreso, por tanto, una obra de progreso humano. Una obra de arte es un todo completo, y un conjunto de esas tres cosas: tema, técnica, modo de expresión, en tal forma que en la medida en la que cualquiera de estos tres elementos sobresale y se separa de los otros dos, en esa misma medida deja de ser arte.

El arte oficial de nuestros buenos vecinos

No es la falta de capacidad de los pintores norteamericanos lo que les impide expresarse en forma comparada con los artistas de algunos otros países. La falta, si se le puede llamar así, estriba en su clase dirigente, la camarilla de los millonarios, "patrones" de los trusts imperialistas, pues ellos saben que el arte significa libertad y están siempre pendientes para aplastar cualquier libertad de expresión del pueblo y su clase intelectual. El fascismo ya nos ha mostrado cuán efectiva puede resultar esta presión, esta "orientación" sobre toda expresión artística genuinamente sincera.

De todo mundo es conocido cómo los artistas norteamericanos a quienes se les diera un "chance" para decorar edificios públicos, se les imponía tanto el tema como el modo de resolverlo, y naturalmente el resultado era desastroso, regresivo, contraproducente, no podía ser una obra del arte pictórico.

El mercado del arte. La clase media, el gobierno

Para un artista medianamente decente, arte y mercado son dos actividades antagónicas. Aunque la clase media mexicana consume pocas de las obras artísticas, principalmente por razones económicas, se puede decir que ella junto con los burgueses extranjeros constituyen el mercado esencial, por pobre que éste sea. Creo que la clase media mexicana, que abarca a casi todos los intelectuales, carece de recursos suficientes para ser considerada como un consumidor propiamente dicho. Aunque los intelectuales son los más interesados en las artes plásticas y constantemente aspiran a elevar su cultura general, ellos tienen que distribuir sus limitados ingresos mensuales en libros, revistas y otros tipos de publicaciones de carácter cultural y por ende no pueden invertir en la compra de alguna pintura quinientos, mil pesos o más.

El gobierno, desgraciadamente, hasta hoy, no puede ser considerado como un comprador de arte y no lo es por diversas razones, según creo. Falta en México un museo de arte, y ha faltado por otro lado la voz de los artistas dentro del gobierno, para aconsejar a éste lo que deba hacer, pues como los gobernantes tienen su gusto muy particular...

El artista mercantil y los "cuba libres"

Pero esto no es todo, ni tan simple como parece. El consumo del arte influencia al arte mismo y así vemos que cuando un artista comienza a "crear" pensando en él, cuánto más o cuánto menos su producción se estanca y degenera hasta quedar a la altura de los anuncios de la "Coca-Cola", y esto es tan grave como la mundial "Coca-Cola". Cuando el artista está en este plano tan bajo, viene la propaganda pública y por todas partes comienza a oírse su nombre. Después todo se resuelve automáticamente. ¿Quiere Ud. un tequila con Coca-Cola?, y como el ambiente es de Coca-Cola con tequila, el invitado se traga este brebaje sin protestar. Así resulta que este tipo de mezclas en Cuba se llama "Cuba Libre"; en México podría bien llamarse "México Libre".

Recuerdos, revoluciones invisibles y revoluciones visibles

Ya no recuerdo cuándo ni cómo comencé a pintar, pero recuerdo que siempre me habían interesado enormemente todas las actividades plásticas y si he hecho más grabados, es porque he creído que dentro de esta disciplina, era más útil a mi pueblo. En esto pude haberme equivocado.

Nuestro siglo es inmensamente rico en movimientos y cambios de las relaciones económicas y sociales humanas, pero, excepto en la cinematografía, por lo que de plástico tiene, las "revoluciones" en el arte no son visibles. Pero nosotros, como artistas, buscamos la realidad en el terreno de las relaciones sociales humanas. Mi actitud frente a los problemas sociales y políticos actuales está contenida en mi intervención en la mesa redonda que para discutir estos problemas convocó el Lic. Vicente Lombardo Toledano. América Latina debe industrializarse para impedir que la crisis de posguerra que sin remedio se agravará, caiga sobre las espaldas del pueblo trabajador y de la clase media, y así poder resistir más ventajosamente a la acometida del imperialismo monopolista de Wall Street. Toda la humanidad vive bajo la amenaza de una nueva guerra que están provocando los círculos interesados del imperialismo inglés y norteamericano, moviendo hábilmente a sus peones trotsquistas y neofascistas. Por esto, los artistas e intelectuales deben sumar sus esfuerzos en obra y acción por una paz justa para todos los pueblos, y hacer valedera la "Carta del Atlántico". Al mismo tiempo en esta lucha, los intelectuales y los artistas deben ligarse a la clase que garantiza la libertad completa del arte, esto es, la clase trabajadora, pues ésta es la única que lucha consecuentemente por la eliminación de las clases y de ella misma como clase.

■ Revista *Anthropos* n. 1, México, abril-junio de 1947, pp. 17-32.

16

CRONOLOGÍA

1902

□ Leopoldo Méndez López nace en la Ciudad de México el 30 de junio de 1902, en el seno de una familia de economía precaria. María López, su madre, fallece antes de que el niño alcance el año. No obstante la temprana orfandad, cuenta con la presencia del padre, Luis G. Méndez, de convicciones liberales, jacobino por añadidura, cuyo padre, a su vez, había muerto en combate contra los "franceses intervencionistas". Asimismo dispone de una familia extensa: numerosos hermanos mayores, abuela y tías, entre ellas Manuela Montero, la más afectuosa. De esas mujeres proviene su respeto por el maderismo y la mezcla de sentido igualitario y desprendimiento de raíz cristiana que habrá de caracterizarlo. La madre, de origen rural; el padre, modesto zapatero, y las tías, obreras torcedoras de cigarros, dan a Leopoldo Méndez el espectro amplio de los sectores subalternos: el campesino, el artesanal y el manufacturero.

1914

□ Siendo niño se publica su primer dibujo, inspirado en una fotografía de Venustiano Carranza, el cual fue enviado por su profesor al "Primer Jefe". Apareció en prensa, sin referencia al autor.

1917

□ Es el menor de la generación que ingresa ese año a la Academia de Bellas Artes, donde permanecerá hasta 1919. Entre sus compañeros están Antonio Ruiz "El Corcito", Julio Castellanos, Agustín Lazo, Rufino Tamayo, Fermín Revueltas; más tarde se incorporan Gabriel Fernández Ledesma y Francisco Díaz de León.

□ Durante el año de 1917 acredita la materia de copiado de yesos clásicos, bajo la mirada vigilante de Ignacio Rosas. Al año siguiente dispone de la presencia de modelo vivo, bien fuera desnudo o vestido, clase impartida por Francisco de la Torre y, además, se adentra en los secretos de la perspectiva. Ya para 1919, los cursos de anatomía y dibujo del natural redondean su formación académica. Reconoce deudas formativas a sus profesores: Leandro Izaguirre; Saturnino Herrán, encargado de impartir la clase de desnudo, y Germán Gedovius, cuyas enseñanzas sobre el color aprecia en especial. Más tarde, la crítica posrevolucionaria valorará a Izaguirre por sus temáticas indianistas de carácter histórico, y a Saturnino Herrán, por ser precursor de un primer brote pictórico nacionalista acriollado.

1920

□ Forma parte del experimento educativo de la Escuela de Pintura al Aire Libre (EPAL) de Chimalistac. Tiempo después la escuela se traslada a Coyoacán, y Méndez permanece en ella hasta el año de 1922.

□ Asiduo colaborador, desde entonces, de la prensa cultural.

1923

□ Se desempeña como profesor supernumerario de dibujo y trabajos manuales de primaria. Ahí pone en práctica el método nacionalista de dibujo ideado por Adolfo Best Maugard. Recibe del Departamento de Bellas Artes un sueldo diario de $3.00 (marzo). Para el mes de noviembre se encuentra cesante por razones de economía.

□ Se integra al movimiento estridentista y colabora con su revista *Irradiador*.

1924

□ Participa en la exposición del Café de Nadie, organizada por los estridentistas.

□ Trabaja como "pato" de escenografía hasta 1925, es decir, como ayudante de ayudante de escenógrafo, lo que le proporciona algunos ingresos adicionales, insuficientes, pese al régimen de constantes desvelos que le exige el quehacer teatral.

1925

□ Se muda a Jalapa en compañía de los estridentistas, quienes habían establecido ahí su cuartel general. Colabora con la revista *Horizonte*.

1927

□ Diseña la carátula del libro de Germán List Arzubide, *Emiliano Zapata, exaltación* [s.e.], Jalapa, 1927.

□ Una de sus viñetas ocupa la carátula del folleto de Manuel Maples Arce, *El movimiento social en Veracruz*. Talleres Gráficos del Gobierno de Veracruz, Jalapa, 1927.

□ Junto con el grupo estridentista abandona Jalapa, tras la caída del general Heriberto Jara.

1928

□ Fija su residencia temporal en el puerto de Veracruz, donde se encarga de ilustrar la revista *Norte*, editada por el doctor Ignacio Millán.

□ Realiza la portada y contraportada del libro de Práxedis Guerrero y Enrique Barreiro Tablada, *Un fragmento de la Revolución*. Ediciones Norte, Córdoba, 1928.

□ Para una editorial poblana, ejecuta tres grabados nuevos que acompañan la reedición del libro de Germán List Arzubide, *Emiliano Zapata, exaltación*.

1929

□ Ingresa al Partido Comunista Mexicano (PCM).

□ Al inicio del año, en protesta por el asesinato del dirigente cubano Julio Antonio Mella y en apoyo al sandinismo nicaragüense, encabeza un acto organizado por la Liga Antimperialista de las Américas, en la Unión de Trabajadores de la Compañía Terminal del puerto veracruzano.

□ De regreso a la Ciudad de México, participa en la exposición de poemas del grupo agorista, celebrada en la carpa Amaro. Ilustra la carátula del catálogo.

□ Se une, al igual que tantos otros artistas, al programa de Misiones Culturales revitalizado por Ezequiel Padilla. Desde el mes de marzo forma parte, como maestro de cultura estética, de la Misión Cultural de San Pedro Tlaquepaque y Ameca, ambas en Jalisco. Es nombrado profesor especialista número tres de la Misión Cultural Permanente (agosto). Colabora como maestro de artes populares en los institutos de Chalco, Ixtapalapa, Ixtlahuaca y la Ciudad de México.

□ Es colaborador asiduo de las revistas *El Sembrador* y *El Maestro Rural*.

□ En julio desarrolla un proyecto para embellecer el mercado de El Parián, por encargo de la Secretaría de Educación Pública (SEP).

□ Inicia una estrecha amistad con el pintor Pablo O'Higgins, que se prolongará toda su vida.

1930

□ Viaja a los Estados Unidos en compañía de Carlos Mérida, con quien expone en la galería del librero Jake Zeitlin, en Los Ángeles, California.

□ Por iniciativa de Grant Dahlstrom, elabora una serie de grabados para el libro de Heinrich Heine, *The Gods in Exile* [*Los dioses desterrados*]. Ampersan Press, California, 1930.

□ Ilustra con cinco grabados la novela de María del Mar (seudónimo de Angela Mall), *La corola invertida*, en edición de la autora.

□ Diseña la portada base de la revista *Economía Nacional*. Los números posteriores conservan el diseño, cambiando sólo el número.

1931

□ Funda Lucha Intelectual Proletaria (LIP) y colabora en *Llamada*, su órgano de prensa.

□ Ejecuta viñetas para el libro de Enrique Othón Díaz, *Canto ingenuo. La escuela rural*. Ediciones Río, México, 1931.

1932

□ Tras la reestructuración educativa emprendida por Narciso Bassols, se crea el Consejo de Bellas Artes y Méndez asume, desde el primer día del año, la jefatura de la Sección de Dibujo y Artes Plásticas de la SEP. En el edificio de dicha Secretaría monta un taller abierto de grabado.

□ Es comisionado por el Consejo, junto con Tamayo y Best Maugard, para reformular los programas de estudio de las EPAL (noviembre).

□ Entra en conflicto con el Consejo de Bellas Artes, pues sostiene criterios contrarios y, cuando éste rechaza su proyecto de integración de dibujo y escenografía por medio del teatro guiñol, renuncia a la

jefatura. Lo sustituye Rufino Tamayo, miembro también del Consejo. Sin embargo, Méndez se mantiene como profesor y, al año siguiente, logra formar grupos de teatro guiñol, los cuales actúan en las escuelas de todo el país con excelentes resultados.

□ Su grabado en madera de pie, *El maniquí*, ilustra el libro de Héctor Pérez Martínez, *La imagen de nadie*.

□ Realiza el dibujo de portada para *La ciudad roja, novela proletaria*, de José Mancisidor. Editorial Integrales, Jalapa, 1932.

□ Expone con Carlos Mérida en el Art Institute de Wisconsin.

□ Presenta una muestra individual en la Galería Posada de la Ciudad de México, quizá la primera realizada en la capital: "17 grabados de Leopoldo Méndez". Un texto de Jorge Juan Crespo de la Serna acompaña el catálogo.

1933

□ Funda la Liga de Escritores y Artistas Revolucionarios (LEAR).

□ Expone treinta grabados en madera en el Milwaukee Art Institute. Uno de ellos ocupa la portada del boletín mensual de la institución (n. 7, marzo de 1933).

□ Ilustra *Arquisterio. Crítica anónima*. Ediciones Integrales, México, 1933. Reedición del libro anónimo *Casa de ejercicios espirituales para honesto recreo de las señoras grandes*, 1880.

1934

□ Se le comisiona temporalmente como maestro de pintura en la Escuela de Artes Plásticas en Morelia, Michoacán, para ejecutar murales en la escalinata principal del Museo de Morelia y en el Colegio de San Nicolás.

□ Según consigna Raquel Tibol en el catálogo de la exposición homenaje, organizada por la Academia de Artes en 1970, Méndez expone de manera individual en San Francisco, California.

□ Entre 1934 y 1937 es portadista y colaborador asiduo de la revista *Frente a Frente*, publicada por la LEAR.

□ Ilustra con cuatro grabados en madera *Corridos de la revolución*, de Celestino Herrera Frimont, Ediciones del Instituto Científico y Literario, Pachuca, 1934.

□ Su grabado *El afilador* ilustra el folleto de Henri Barbusse *Saludo*, enviado al Congreso Juvenil Antiguerrero de México, según reza la portada.

□ Colabora en *El Máuser*, periódico de las células comunistas en el ejército y la policía.

1935

□ Realiza *Piñata política*, grabado para la felicitación anticallista que celebra el año nuevo de 1936.

1936

□ En su calidad de presidente del comité ejecutivo de la LEAR, encabeza la protesta dirigida al gobierno cubano por el encarcelamiento de los editores de la revista *Masas*, entre los cuales se halla el escritor Juan Marinello.

□ Toma a su cargo el Departamento de Cultura Estética y Periodismo de la Universidad Obrera, dirigida por Vicente Lombardo Toledano.

□ Interviene, con el equipo mural de la LEAR, en el edificio de los Talleres Gráficos de la Nación. Titula su obra *Gaseado o La guerra y el fascismo*.

□ Es comisionado para ejecutar murales en los corredores exteriores de la biblioteca de la Escuela Nacional de Maestros. No realizados.

□ Participa en las distintas exposiciones colectivas que organiza la LEAR: dos en la Ciudad de México, una en Guadalajara y otra en la ciudad de Nueva York. Esta última apoya al American Writers Congress, celebrado en la Galería ACA (25 de febrero a 7 de marzo).

□ Su grabado *Liga de las Naciones* ilustra el díptico de la "Segunda exposición colectiva", efectuada por la LEAR en el vestíbulo de la Biblioteca Nacional (24 de julio a 7 de agosto).

1937

□ Con el equipo de la LEAR, interviene en la realización de murales para la Confederación Revolucionaria Michoacana de la ciudad de Morelia.

□ En ocasión del Congreso Nacional de Escritores y Artistas organizado por la LEAR, corresponde a Méndez pronunciar el discurso inaugural de la "Exposición colectiva de artes plásticas" (Palacio de Bellas Artes, enero).

□ Su linóleo *La protesta* ocupa la portada de *Agua y cauce*, poemas revolucionarios de Miguel Otero Silva. Ediciones de la LEAR, México, 1937.

□ Participa con obra en la muestra organizada por la LEAR en apoyo a la República Española: "Un siglo de grabado en México", la cual recorre las plazas de Valencia, Madrid y Barcelona.

□ Funda el Taller de Gráfica Popular (TGP) y se mantiene como su director durante muchos años.

□ Interviene en la ilustración del *Calendario de la Universidad Obrera*, correspondiente al año de 1938, firmado conjuntamente por la LEAR y el TGP. Méndez aporta cuatro litografías de tema histórico y de actualidad política: *Río Blanco*, *La guerra fascista amenaza a México*, *Corran que ahí viene la bola* y *Don José María Morelos y Pavón, precursor de la lucha agraria en México*.

□ La emisión de *Art Front* de marzo de 1937 incluye en su portada un grabado de Méndez, *Mujeres orando*, cuyos bloques sombríos recuerdan la gráfica expresionista de Kaethe Kollwitz.

□ Realiza la litografía *El desfile*, empleada como propaganda antitrotskista de *La Voz de México*.

□ Ilustra la portada a color del libro de Celestino Herrera Frimont, *Huapango*, Editorial Botas, México, 1937.

□ Inicia su colaboración con la revista *Futuro*.

1938

□ Participa con tres litografías en la carpeta del TGP contra el franquismo, *La España de Franco: Franco, hombre de honor, jura defender la República*; *Toma de Madrid*; y *Aprende América: ¡El fascismo amenaza a los países americanos!*

□ Asimismo, desde el Taller colabora en la serie de carteles antifascistas encargados por la Liga Pro Cultura Alemana. Una de sus litografías anuncia la quinta conferencia dedicada a la propaganda y el espionaje nazis (Palacio de Bellas Artes, 5 de octubre).

□ Ejecuta *Con una piedra se matan muchos pájaros... nalgones*, grabado en linóleo para la hoja volante que intenta contrarrestar la campaña de prensa antimexicana, desatada a raíz de la expropiación de las instalaciones extranjeras de petróleo, llevada a cabo por el gobierno de Cárdenas.

1939

□ Obtiene la beca Guggenheim, la cual le permite recorrer en auto distintas ciudades de los Estados Unidos y visitar museos y talleres de artistas. Recoge en su libreta de apuntes múltiples escenas de la gran industria y del acontecer cotidiano en los barrios populares.

□ *En nombre de Cristo*, álbum con siete litografías, impreso por los Talleres Gráficos de la Nación y auspiciado por el Centro Productor de Artes Plásticas del Departamento de Bellas Artes, alcanza un tiraje de 3 200 ejemplares, y forma parte de la campaña oficial contra el movimiento cristero y el asesinato de maestros.

□ Colabora con la revista *Documental*, dirigida por Siqueiros.

1940

□ Es comisionado para realizar un mural en la Escuela Nacional de Maestros; su *Interpretación del Artículo Tercero* queda en proyecto.

□ Es maestro de grabado en madera para los cursos de verano con asistencia de alumnos estadounidenses, que el TGP organizaba para recabar fondos.

□ Sufre prisión temporal, luego de que Siqueiros deja pistas falsas en las instalaciones del TGP para desviar las investigaciones de la policía en relación con el atentado a la casa de León Trotsky. El 24 de junio de 1940 es liberado de todo cargo. El grabador recordará, años más tarde, en sus cuadernos de anotaciones: "En mi corta prisión lloré desesperadamente al ver a mi mujer embarazada, ofendida por los agentes de la policía reservada y, más tarde a la puerta de la cárcel, verla con mi hijo en sus entrañas bañada en lágrimas [...] Esta debilidad no me avergüenza".

1941

□ Su plaza de profesor de enseñanzas artísticas de la Escuela de Artes Plásticas es traspasada a la Dirección General de Educación Artística Extraescolar y Estética.

1942

□ Tras la muerte de Tina Modotti, diseña la lápida funeraria de la fotógrafa de origen italiano.

□ En homenaje al heroísmo del pueblo soviético durante la guerra, hace corresponder el estilo de su litografía para el cartel a dos tintas, *Mariscal S. Timoshenko, sus triunfos son los nuestros*, con el realismo socialista imperante en la URSS.

1943

□ La Estampa Mexicana, editorial del TGP, realiza un tiraje de cien ejemplares del portafolio *25 Prints of Leopoldo Méndez* [*25 grabados de Leopoldo Méndez*], prologado por Juan de la Cabada.

□ Escribe la introducción de la carpeta con 25 impresiones originales de las placas de José Guadalupe Posada.

□ Realiza un grabado coloreado en madera para la portada del libro de Anna Seghers, *La séptima cruz*. El Libro Libre, México, 1943.

□ Participa con varios grabados para ilustrar *El libro negro del terror nazi en Europa*. El Libro Libre, México, 1943. El diseño corrió a cargo de Hannes Meyer. En dos ediciones obtuvo un tiraje de 10 mil ejemplares.

□ A la manera del grabado-montaje, Méndez utiliza tres grabados en linóleo para ilustrar el cartel *Los tranviarios luchan en beneficio de todo el pueblo: Monopolio*, *Cuatro mil hogares sin pan* y *Diez centavos más por hora*.

1944

□ La cuarta emisión del Salón Anual de Grabado, organizada por la galería Decoración, rechaza *El gran atentado*, grabado político donde Méndez denuncia el intento fallido de ultimar al presidente Manuel Ávila Camacho con supuesto auspicio intelectual del Partido Acción Nacional. "Deficiente calidad litográfica" fue el argumento que utilizó el jurado compuesto por Francisco Díaz de León, Carlos Alvarado Lang y Julio Prieto. El hecho provocó un sonado escándalo de prensa y el repudio a la censura por parte de la comunidad artística nacional, encabezada por Orozco y Siqueiros, quienes enviaron obra a la contraexposición organizada por el TGP. Pronto, aquella galería cerró sus puertas.

□ Agotada la carpeta *25 Prints of Leopoldo Méndez* [*25 grabados de Leopoldo Méndez*], se realiza un nuevo tiraje.

□ Con cuarenta grabados en madera de pie y scratch-board, ilustra *Incidentes melódicos del mundo irracional*, de Juan de la Cabada. La Estampa Mexicana, México, 1944.

□ Su grabado en scratch-board, *Retrato de Porfirio Barba Jacob* (seudónimo de Miguel Ángel Osorio), es incluido en el libro *Poemas intemporales*.

□ Inicia su colaboración con la revista *Tricolor*.

1945

□ Luego de comisionársele como orientador de artes plásticas, su plaza es trasladada a la campaña de alfabetización.

□ El Art Institute of Chicago realiza una exposición de Leopoldo Méndez, con 77 dibujos y 64 grabados, estos últimos pertenecientes, en su mayoría, a las colecciones del Instituto (enero a marzo).

□ Carl O. Schniewind, conservador del departamento de grabado y dibujo del Art Institute of Chicago y quien fuera organizador de la muestra individual de Méndez, encarga a éste la ejecución del grabado *Amenaza sobre México*, también conocido como *Lo que puede venir*, cuyo cliché pasa a formar parte del acervo del Instituto.

□ Una selección de los grabados de Méndez en las colecciones de la División de Cooperación Intelectual, junto con los grabados de su carpeta de 1943, dan pie a una muestra en la Unión Panamericana de Washington.

□ Realiza un linóleo para el cartel de homenaje al Escuadrón 201, *Bienvenidos a la Patria*.

□ Colabora con el equipo del TGP en la realización de carteles para la campaña alemanista, acorde con la estrategia del PCM.

□ *Incidentes melódicos del mundo irracional* obtiene el premio del Concurso al Libro Mejor Ilustrado o Impreso, otorgado por la IV Feria del Libro. Al agotarse la edición, se imprime una carpeta con una selección de los grabados del mismo libro, prologada por Carl O. Schniewind.

□ Su grabado en metal de estereotipo ocupa la portada del libro de Fernando Benítez, *Caballo y dios*. Editorial Leyenda, México, 1945.

□ Una serie de sus viñetas ilustra el relato de Berta Domínguez D., *Ansina María*. Colección "Lunes", México, 1945.

1946

□ Renuncia al Partido Comunista Mexicano junto con un sector de la izquierda que promueve una política alternativa: se incorpora al Grupo Insurgente José Carlos Mariátegui, núcleo del futuro Partido Popular (PP), y colabora con grabados para su órgano de prensa, *El Insurgente*.

□ En unión de Pablo O'Higgins, realiza murales para la clínica de maternidad del hospital Número 1 del Instituto Mexicano del Seguro Social. Su fresco *La maternidad y la asistencia social*, de 69 m², fue destruido al ampliarse el inmueble.

□ Ilustra la novela *La carreta*, de B. Traven, con un linóleo del mismo título. Este grabado y el de *Alegoría* reciben el Premio SEP, que otorga la Comisión Administradora del Premio Nacional de Arte y Ciencia de ese año.

□ Interviene con una litografía en el álbum *Mexican People*, de la Associated American Artists, de Nueva York.

□ Participa, junto con los artistas del TGP, en la ilustración de la *Memoria del Comité Administrativo del Programa Federal de Construcción de Escuelas 1944-1946*.

1947

□ Por contrato, ingresa al sistema de productores de artes plásticas del Instituto Nacional de Bellas Artes. La remuneración recibida como profesor de enseñanzas artísticas de educación media (veinte horas semanales de clase) debía cubrirse anualmente con su equivalente en obra gráfica, misma que pasaba a formar parte de las colecciones del Instituto. Varios años dura esta relación, con entregas, a veces, de más de 250 grabados, pues solían incluirse tres ejemplares de cada uno. En sus cuadernos de anotaciones, Méndez criticaba la baja tasación del precio del grabado, por lo que, pese a ser él quien más producía y entregaba obra, con los años incrementaba su deuda hacia la institución. Se podría añadir que la necesidad lo orilló a someterse a una especie de tienda de raya del arte.

□ Presenta una ponencia que fija la postura del grupo El Insurgente, ante la "Mesa redonda de los marxistas mexicanos", verificada en la sala de conferencias del Palacio de Bellas Artes y en el salón de actos del Sindicato Nacional de Telefonistas. Por exceso de participantes, no puede leerla en la sesión correspondiente pero la publica en el periódico *El Popular* (24 de enero).

□ Es miembro fundador del Partido Popular (PP). De inmediato ejecuta un linóleo para el cartel dirigido a buscar la adhesión de los jóvenes.

□ Viaja como representante de la delegación mexicana al Congreso de Intelectuales por la Paz, realizado en Wroclaw, la actual Breslau, Polonia, donde conoce a Picasso. Recorre, además, diversos sitios en Checoslovaquia, Italia, Francia, Inglaterra y Alemania.

□ Realiza las mantas murales que decoran la asamblea de la UNESCO en México, con amplificaciones de grabados.

□ Ilustra la portada de la revista *Anthropos* (Ciudad de México, abril-junio). Publicación de miembros de la Escuela Nacional de Antropología e Historia, del TGP, y del Centro de Estudios Circuncaribes.

□ Interviene en la carpeta *Estampas de la Revolución Mexicana, 85 grabados del TGP*, editada por La Estampa Mexicana.

□ Su dibujo de *Benito Juárez* sirve de base a un cartel que rinde homenaje al prócer.

□ Realiza la portada del libro *Mensaje de la Universidad Obrera a la UNESCO*, editado por dicha universidad.

1948

□ Participa en el álbum que el TGP dedica a la Confederación de Trabajadores de América Latina (CTAL).

□ Uno de sus carteles más sorprendentes es el del acercamiento a dos banderas empuñadas en cruz, conjunción de pliegues y tensión, a partir de un linóleo que realiza en ocasión del Tercer Congreso General de la CTAL, en México.

1949

□ Realiza el grabado mural *Jugando con luces*, trabajado con buril eléctrico sobre una lámina acrílica de 24 m². Se exhibe temporalmente en el pabellón de Nacional Financiera, como parte de la "Exposición objetiva del Gobierno de México", en el Estadio Nacional, para luego instalarse en el edificio de la empresa. El mural se basa en la refracción de la luz eléctrica, cuyos efectos resultan sorprendentes. Su carácter experimental explica que la ejecución no sea del todo lograda. Dicha empresa conservará el mural en sus nuevas instalaciones.

□ Prologa la monografía *El TGP, Doce años de obra artística colectiva*, editada por la Estampa Mexicana.

□ Los periódicos *Zakracje* y *Glosludu*, de Varsovia, publican sus apuntes para el proyecto *Estampas de la nueva Polonia*.

Leopoldo Méndez
con su esposa
Andrea Hernández
y sus hijos
Pablo y Andrea, 1948

□ Por el linóleo *Esclavos*, recibe el Premio de Grabado del Salón de Invierno, organizado por el Instituto Nacional de Bellas Artes (febrero).

1956

□ Realiza el grabado mural en ampliación fotográfica sobre *José Guadalupe Posada*, para los Talleres Gráficos de la Nación. Posteriormente fue desmontado.

□ Interviene en la carpeta colectiva *Grabados del TGP*.

□ Ilustra el folleto colectivo *México está en peligro*.

□ *Arte vivo mexicano* dedica su hoja cartel como homenaje a Méndez por sus treinta años de grabador.

□ La embajada de México en Cuba, por iniciativa de Gilberto Bosques, organiza la exposición "40 grabados de Leopoldo Méndez", que recorre Matanzas, Santiago de Cuba y Santa Clara.

1957

□ Realiza la manta que decora el acto dedicado a Giuseppe Garibaldi, en la Sala Manuel M. Ponce, del Palacio de Bellas Artes (julio).

1958

□ Renuncia al PP junto con el grupo encabezado por Enrique Ramírez y Ramírez, que se acerca al programa de Adolfo López Mateos.

□ Promotor de la idea y creador del Fondo Editorial de la Plástica Mexicana (FEPM), de cuyo consejo directivo forma parte en unión del fotógrafo Manuel Álvarez Bravo; el poeta Carlos Pellicer; el político y ensayista cultural Rafael Carrillo Azpeitia; y el economista, director del Banco Nacional de Comercio Exterior, Ricardo J. Zevada. Dicha empresa editorial cuenta con el apoyo del presidente Adolfo López Mateos, a quien Méndez conocía desde 1936, por ser asesor jurídico de los Talleres Gráficos de la Nación, donde Méndez realizó murales. Para la campaña de López Mateos, el artista había realizado un retrato grabado.

□ Proyecta un grabado mural en amplificación fotográfica, relativo a los Niños Héroes. La obra, que no se concreta, estaba destinada a la Sala de Banderas del Museo Nacional de Historia.

1959

□ Se retira del TGP bajo la presión de un sector mi-

1950

□ Imparte la conferencia "Reflorecimiento y madurez del grabado" (Palacio de Bellas Artes, 6 de octubre).

□ Se incorpora a la campaña de recolección de firmas con base en el *Llamamiento de Estocolmo por la Paz*.

□ Interviene en el folleto *Queremos vivir*, ilustrado colectivamente con grabados en madera y auspiciado por el Comité Mexicano por la Paz.

1951

□ Prologa el catálogo de la exposición "El grabado y el libro polacos", realizada en el Palacio de Bellas Artes de la Ciudad de México. Pese a los rasgos distintivos que imponen las propias tradiciones nacionales, ahí establece ciertos paralelismos entre la gráfica polaca, china y mexicana, como efecto de una condición socioeconómica semejante.

1952

□ Se le otorga el Premio Internacional de la Paz del Consejo Mundial de Partidarios de la Paz, mismo que en noviembre del año siguiente recibe en Viena y decide compartir con el TGP.

1953

□ Visita la Unión Soviética.

□ Por encargo de los arquitectos Guillermo Rosell y Lorenzo Carrasco, ejecuta un mural sobre lámina de plástico luxite de casi 10 m², para las nuevas instalaciones de la fábrica Automex.

□ Ilustra la novela de Herminio Chávez Guerrero, *Surianos*.

1955

□ Lanza su candidatura como diputado del PP por el noveno distrito de la Ciudad de México, cargo de elección popular. No resulta ganador.

noritario de militantes del PCM, que buscaba consolidar su línea partidista. A su vez, pesaba en Méndez la visión de que el TGP había agotado su ciclo y que su función se había transferido a la industria editorial.

□ Viaja a Haarlem, Holanda, para supervisar la impresión del libro *La pintura de la revolución mexicana*, editado por el FEPM, en el que Méndez funge como editor.

1960

□ Recibe el Premio José Guadalupe Posada de grabado, en la Segunda Bienal Interamericana de Pintura, Grabado y Escultura de la Ciudad de México.

□ Sus grabados *Madre* y *El rebozo* obtienen medalla de plata, otorgada por la embajada de México, con motivo del Primer Certamen Latinoamericano de Grabado, realizado en Buenos Aires, Argentina. Recibe la presea al año siguiente.

□ Participa en el álbum del TGP, *450 años de lucha. Homenaje al pueblo mexicano*, ampliación del proyecto *Estampas de la revolución mexicana*.

1961

□ Hace efectiva su renuncia al Taller de Gráfica Popular, luego de retirarse dos años antes de la organización.

1962

□ Viaja a la Unión Soviética por invitación de la Asociación de Artistas Plásticos, con el objeto de intervenir en el Congreso Nacional de Arte.

□ El INBA rinde un homenaje a Méndez con motivo de su sexagésimo aniversario, para lo cual organiza una retrospectiva del grabador en el Museo Nacional de Arte Moderno y un acto en la sala Manuel M. Ponce del mismo Palacio de Bellas Artes (14 de agosto). Intervienen, entre otros, el poeta Carlos Pellicer y el grabador Erasto Cortés Juárez.

1963

□ Editor del libro *José Guadalupe Posada, ilustrador de la vida mexicana*. FEPM, México, 1963.

1964

□ Con motivo de la creación del nuevo Museo Nacional de Antropología, realiza un grabado mural de 32 m² para la Sala Otomí, el cual permanece inconcluso.

□ Ilustra con más de treinta grabados en metal la autobiografía de Manuel Maples Arce, *A la orilla de este río*. Editorial Plenitud, Madrid, 1964.

1965

□ Interviene en la Segunda Bienal Americana de Grabado, organizada por la Sociedad de Amigos del Museo de Arte Contemporáneo de la Universidad de Chile, Santiago de Chile.

□ Participa con el grupo que ilustra el libro de Armando Jiménez, *Picardía mexicana*. Libro México, México, 1965.

1966

□ Bajo presión de la nueva directiva del TGP, entrega los archivos de la institución que se hallaban bajo su custodia. Las copias selladas de los grabados del acervo pronto comienzan a venderse y sufren una merma irreparable.

1967

□ Expone individualmente en las Galerías Villa Caliente de San Diego, California (octubre).

1968

□ Ingresa a la Academia de Artes como miembro fundador.

□ Obligado por la situación económica, Leopoldo Méndez vende 280 grabados y 300 dibujos a Salomón Marcovich. Varios años tardó en clasificar esta obra, quizá con la esperanza de no desprenderse de ella.

1969

□ Concluye el libro *Lo efímero y eterno del arte popular mexicano*, del cual fue editor, y cuyo primer volumen saldrá a la luz pública en 1971, bajo el sello del FEPM. Además de los libros sobre muralismo y sobre Posada, Méndez había editado *Los maestros europeos de la Galería de San Carlos en México* y *Flor y canto del arte prehispánico de México*, así como las monografías *José María Velasco, Joaquín Clausell* y *Dr. Atl.*

□ Muere en la Ciudad de México, el 8 de febrero de ese año, a causa del cáncer que lo aquejaba. Es cremado en el Panteón Civil de Dolores.

□ La prensa mexicana comenta ampliamente su labor y varios periódicos dedican secciones culturales a revisar su trayectoria.

□ La Sociedad Cubano-Mexicana de Relaciones Culturales de la Universidad de La Habana, Cuba, efectúa en su honor la exposición "Grabados mexicanos, homenaje a Leopoldo Méndez".

1970

□ La Academia de Artes organiza la muestra "Leopoldo Méndez 1902-1969", exposición de homenaje, en el Palacio de Bellas Artes. El catálogo dispone de una cronología de Raquel Tibol y un breve texto de Francisco Díaz de León.

FILMOGRAFÍA

1947

Se incluye obra de Leopoldo Méndez en la filmina de 35 mm, *Cien imágenes del TGP*, editada por la Bryant Foundation, de Los Ángeles, California.

Río Escondido. Dirección, Emilio Fernández; fotografía, Gabriel Figueroa. Diez grabados de Méndez en linóleo: *El bruto, El dueño de todo, Tengo sed, También la tierra bebe tu sangre, Soledad, ¡Bestias!, Pequeña maestra ¡qué grande es tu voluntad!, Las primeras luces, Las antorchas, Venciste*.

1948

La Estampa Mexicana publica la carpeta *Río Escondido*. *Diez grabados de Leopoldo Méndez*; él mismo escribe la presentación.

Pueblerina. Dirección, Emilio Fernández; fotografía, Gabriel Figueroa. Diez grabados en linóleo de Leopoldo Méndez: *Pelea de jinetes, La carreta, Pelea de gallos, La siembra, Derecho de pernada, La cosecha, La emboscada, Compro tu maíz, El carrusel, Zapata*.

1949

Méndez interviene con once grabados en la filmina ¿*Quiénes quieren la guerra, quiénes quieren la paz?*, editada por la Bryant Foundation, Los Ángeles, California.

1950

Un día de vida (Antes del toque de diana). Dirección, Emilio Fernández; fotografía, Gabriel Figueroa. Cinco grabados de Méndez en linóleo: *Prisionero, Rumbo al paredón, El fusilado, Homenaje póstumo, Reparto de tierras*.

1950

Memorias de un mexicano. Edición Carmen Toscano de Moreno Sánchez, a partir del archivo de Salvador Toscano. Méndez realiza uno de los trece grabados en linóleo que aporta el Taller de Gráfica Popular: *Viva Madero*.

1952

El rebozo de Soledad. Dirección, Roberto Gavaldón; fotografía, Gabriel Figueroa. Seis grabados de Méndez en madera de hilo: *Soledad, La pareja, Juntos en la desgracia, Madre muerta, El rebozo, La huida*.

1953

Raíces. Dirección, Benito Alazraki; fotografía, Walter Reuter. Un grabado de Leopoldo Méndez en linóleo: *Rumbo al mercado*.

La rosa blanca (Momentos de la vida de José Martí). Dirección, Emilio Fernández; fotografía, Gabriel Figueroa. Cinco grabados de Méndez en linóleo: *Catedral de La Habana; Iztaccíhuatl; Vista de Zaragoza, España; La Cibeles; El puente de Brooklyn*.

1954

La rebelión de los colgados. Dirección, Emilio Fernández y Alfredo B. Crevena; fotografía, Gabriel Figueroa. Cinco grabados de Méndez en linóleo: *La rebelión de los colgados, Crueldad de los capataces, Los colgados, Casa chamula, Compañero indígena de Chiapas prisionero*.

1959

Macario. Dirección, Roberto Gavaldón; fotografía, Gabriel Figueroa. Diseña los personajes de Dios, la Muerte y el Diablo.

1961

Rosa blanca. Dirección, Roberto Gavaldón; fotografía, Gabriel Figueroa. Dos grabados de Leopoldo Méndez sobre película: *La revolución y el petróleo, Porfirio Díaz*.

1966

Un dorado de Pancho Villa. Dirección, Emilio Fernández. Cuatro litografías de Leopoldo Méndez: *María Dolores, Pancho Villa, Aurelio Cruz* (sirvió de modelo Emilio Fernández), *Zapata y Villa*.

SELECCIÓN BIBLIOGRÁFICA Y HEMEROGRÁFICA

Excluyo la mayor parte de las referencias de catálogos y artículos sobre exposiciones colectivas; en particular, las muy abundantes del TGP, donde de manera destacada se menciona a Leopoldo Méndez. Al igual omito la cita de muchos libros generales de historia del arte mexicano donde se alude al grabador.

Manuel Maples Arce, "Los pintores jóvenes de México", en *Zig Zag* n. 54, México, 28 de abril de 1921, pp. 27-29.

Leopoldo Méndez, "La estética de la Revolución. La pintura mural", en *Horizonte*, Jalapa, noviembre de 1926, pp. 45-48. Republicado por *Diario*, Jalapa, 22 de abril de 1969; y *La Semana de Bellas Artes* n. 79, México, junio de 1979.

Jorge Juan Crespo de la Serna, *2a exposición de grabado en madera de Leopoldo Méndez* (litografías, grabados en metal, libros). Galería Posada, México, 14 a 22 de julio de 1932.

Abel Plenn, "El arte de la xilografía", en *El Nacional* (sección dominical), México, 5 de febrero de 1933, p. 4; reeditado en inglés con el título de "The Woodblocks of Leopoldo Méndez", en *Mexican Life*, México, septiembre de 1933.

Agustín Velázquez Chávez, *Índice de la pintura mexicana contemporánea*. Ediciones Arte Mexicano, México, 1935.

Carlos Mérida, *Prints by 20 Mexican Artists*. Stanley Rose Gallery, 11 a 23 de noviembre, c. 1935.

Jesús Guerrero Galván, "Imágenes: Leopoldo Méndez", en *Universidad*, México, noviembre de 1936, pp. 48-55.

Aníbal Ponce, *Apuntes de viaje, 1937-1938*. Buenos Aires, El Ateneo [s.d.]. Lo referente a Méndez fue republicado en *Revista de la Universidad*, México, marzo de 1969; y en *Bohemia* n. 42, La Habana, 1969.

Laurence E. Schmeckebier, *Modern Mexican Art*. The University of Minnesota, Minneapolis, 1939 (reeditado en 1971).

Veinte siglos de arte mexicano. Museo de Arte Moderno, Nueva York, 1940, pp. 145, 177, 194.

Latin American Exhibition of Fine Arts. Riverside Museum, Nueva York, 23 de julio a 20 de octubre de 1940.

MacKinley Helm, *Modern Mexican Painters*. The Institute of Modern Art, Boston, 1941 (republicado en 1968).

Manuel Maples Arce, *El arte mexicano moderno*. Talleres Gráficos de la Nación, México, 1944. Edición bilingüe, distribuida en Londres por A. Swemmer.

A. R. (Antonio Rodríguez), "El arte y la política", en *Así*, México, 22 de julio de 1944.

José Mancisidor, "El arte de la política", en *El Nacional*, México, 17 de julio de 1944, pp. 3-6.

"Tendenciosa campaña reaccionaria entraña el veto a las obras del artista L. Méndez", en *El Nacional*, México, julio de 1944.

"El gran atentado", en *Tiempo*, México, 21 de julio de 1944.

"Protesta de Orozco, Rivera y Siqueiros, por haber sido retirada de una exposición una litografía de Leopoldo Méndez", México [s.e.], 1944.

"Protestan por el retiro de un simbólico cuadro" [s.p.i.].

A. R. (Antonio Rodríguez), "Dos exposiciones de grabado", en *Así*, México, 19 de agosto de 1944.

"Leopoldo Méndez", en *Tricolor: Pensamiento y acción de México* n. 1, México, 16 de septiembre de 1944, p. 1.

"Mexican Prints on View at Pan American", *The Sunday Star*, Washington, 15 de mayo de 1945.

Miguel Ángel Mendoza, "El grabado mexicano de hoy", en *Tiras de colores* (Revista de arte y literatura), ns. 49-50, México, diciembre de 1945 a enero de 1946, pp. 17-19.

Ermilo Abreu Gómez, *Sala de retratos*. Editorial Botas, México, 1946. Republicado en TGP n. 0, octubre de 1970; y en *El Gallo Ilustrado*, suplemen-

to de *El Día*, 28 de septiembre de 1975; y en *La Semana de Bellas Artes* n. 79, junio de 1979.

Carlos Mérida, "Grabadores mexicanos contemporáneos: Leopoldo Méndez y Alfredo Zalce", en *Revista de Guatemala* n. 4, Guatemala, abril a junio de 1946.

Leopoldo Méndez, "Discurso", en *El Popular*, México, 1947, pp. 505-35 (republicado en *Mesa Redonda de los Marxistas Mexicanos*. México, CEFPSVLT, 1982).

———, "Leopoldo Méndez dice...", en *Anthropos* n. 1, México, abril a junio de 1947, pp. 17-32. Fragmento republicado en TGP n. 0, octubre de 1970; y en *La Semana de Bellas Artes* n. 79, junio de 1979.

Juan Rejano, "La vuelta de Leopoldo Méndez", en *El Nacional*, México, 13 de enero de 1948.

Leopoldo Méndez, "Meksykánska Satyra Rewolucyjna", en *Wolne Narodym Warszawa* n. 7, Grudzlen, 1948.

——— y Hannes Meyer, *El TGP: 12 años de obra artística colectiva*. La Estampa Mexicana, México, 1949.

Carlos Mérida, Catálogo de la exposición *Breve historia de la plástica*, México, 1949.

Ernesto Guasp, "El grabador Leopoldo Méndez. El realismo social de su arte, de su grupo y de su Taller de Gráfica Popular", en *El Popular*, México, 19 de junio de 1949.

Ceferino Palencia, "Los grabados de Leopoldo Méndez", en *México en la Cultura* n. 24, suplemento de *Novedades*, México, 17 de julio de 1949.

Vann Ludwig, "Mendez, O'Higgins Work Outstanding in LA Show", en *The Daily People's World*, Los Ángeles, 18 de julio de 1949.

Jean Charlot, "Mexican Prints", en *Boletín del Museo Metropolitano de Arte* n. 3, Nueva York, 1949, pp. 81-90. Republicado en *Art-Making From Mexico to China*. Sheed & Ward, Nueva York, 1950.

Ceferino Palencia, *Arte contemporáneo de México*. Editorial Patria, México, 1951.

Virginia Stewart, *45 Contemporary Mexican Artists: A Twentieth Century Renaissance*. Stanford University Press, California, 1951, pp. 84-86.

Leopoldo Méndez, presentación del catálogo *El grabado y el libro polacos*. INBA, México, 1951.

Erasto Cortés Juárez, *El grabado contemporáneo*

(1922-1950). Ediciones Mexicanas, México, 1951.

Art Mexicain du Précolombien a Nous Jours. Musée National d'Art Moderne, París, mayo a julio de 1952.

Mexikansk konst. Liljevalchs Konsthall, Estocolmo, 1952.

"Forja de artistas", en *DF* n. 141, México, 19 de octubre de 1952.

Leopoldo Méndez, "Testimonios de su viaje a la URSS", en *Cultura Soviética* n. 93, México, julio de 1953, pp. III-IV.

Paul Westheim, *El grabado en madera*. Fondo de Cultura Económica, México, 1954. Fragmento republicado en *La Semana de Bellas Artes* n. 79, junio de 1979; y en *Arte Vivo Mexicano* n. 3, 1955.

Raquel Tibol, "Leopoldo Méndez escribe sobre Fanny Rabel", en *México en la Cultura*, suplemento de *Novedades*, México, 25 de septiembre de 1955.

"Grabado mexicano", en *Canje* n. 1, México, septiembre de 1956.

"El premio Stalin de la Paz", en *Paz*, México, noviembre de 1956.

G. Pommeranz-Liedtke, *Mexicanische Graphik*. Deutsche Akademie der Kunst, 1956.

Armin Haab, *Mexican Graphic Art*. Arthur Niggli Ltd., Teufen, Suiza, 1957.

Raquel Tibol, "Mesa redonda en el Taller de Gráfica Popular", en *Artes de México* n. 18, México, 1957.

Anaya Sarmiento, "Entrevista con Leopoldo Méndez", en *Diorama de la Cultura*, suplemento de *Excélsior*, México [s.f.], 1957.

"Grabados y pinturas. Pálido homenaje", en *Política*, 1 de noviembre de 1960, pp. 54-58.

Henrique González Casanova, "La esperanza despierta", fragmento de una plática con el grabador Leopoldo Méndez, en *El Gallo Ilustrado*, suplemento de *El Día*, n. 5, México, 29 de julio de 1962, pp. 1-4. (Una selección fue republicada por *Revista de la Universidad* n. 7, marzo de 1969.)

En conmemoración de los sesenta años de Leopoldo Méndez, *El Gallo Ilustrado*, suplemento de *El Día*, dedica parte de su edición del 29 de julio de 1962 a este artista. Rafael Carrillo Azpeitia:

"Buscar lo puramente ilustrativo o gráfico para que lo entienda el pueblo, es en realidad contraproducente para la obra creativa. Leopoldo Méndez", pp. 2-3; Germán List Arzubide: "Leopoldo Méndez en el movimiento Estridentista", p. 4.

Antonio Luna Arroyo, *Panorama de las artes plásticas mexicanas 1910-1960: Una interpretación social*. México [s.p.i.], 1962.

"Leopoldo Méndez, notable grabador", en *México en la Cultura*, suplemento de *Novedades*, México, 19 de agosto de 1962, p. 11.

Elena Poniatowska, "Los 60 años de Leopoldo Méndez", en *Artes de México* n. 45, México, 1963.

J. G. Zuno, *Historia de las artes plásticas en la revolución mexicana*. Talleres Gráficos de la Nación, México, 1967.

"Lithographer Méndez' Work Shown at Galerias Villa Caliente", en *The Sentinel*, San Diego, California, 24 de agosto de 1967.

Justino Fernández, "Leopoldo Méndez", en *Revista de la Universidad de México* n. 11, México, julio de 1968, p. 34.

Rodolfo Rojas Zea, "Leopoldo Méndez y su noble obsesión: El Museo de la Estampa", en *El Día*, México, 30 de enero de 1969, p. 3.

"Méndez, una obra al servicio del pueblo", en *El Día*, México, 9 de febrero de 1969, p. 4.

Rodolfo Rojas Zea, "Murió Leopoldo Méndez, excelso artista mexicano", en *El Día*, México, 9 de febrero de 1969, p. 1.

"Falleció el notable grabador mexicano Leopoldo Méndez", en *El Nacional*, México, 9 de febrero de 1969, pp. 1, 10.

"Falleció ayer el grabador Leopoldo Méndez, uno de los grandes de la plástica mexicana", en *Excélsior*, México, 9 de febrero de 1969, pp. 1, 11.

Raquel Tibol, "Leopoldo Méndez dijo: 'el pueblo necesita de cosas agradables'", en *Excélsior*, México, 9 de febrero de 1969.

"Homenaje póstumo, en Bellas Artes, a Leopoldo Méndez", en *El Nacional*, México, 10 de febrero de 1969, p. 10.

Fausto Fernández Ponte, "Legado de Leopoldo Méndez al mundo", en *Excélsior*, México, 10 de febrero de 1969, pp. 1, 18.

El periódico *El Día* dedica varios artículos a la muerte del grabador, México, 11 de febrero de 1969: Alberto Beltrán, "El arte y el pueblo dijeron adiós

a Leopoldo Méndez", p. 1; Rodolfo Rojas Zea, "Méndez flor y fruto del pueblo mexicano, ciudadano del mundo", p. 4; Francisco Martínez de la Vega, "En la ausencia de Leopoldo Méndez", p. 5; Fedro Guillén, "Leopoldo Méndez", en *El Nacional*, México, 14 de febrero de 1969, p. 5.

"México pierde a uno de sus grandes: Leopoldo Méndez", editorial de *El Nacional*, México, 11 de febrero de 1969.

Excélsior, México, 14 de febrero de 1969: Manuel Arvizu, "El humilde testamento de Leopoldo Méndez. Es necesario preservar el arte popular cotidiano, que se está yendo, afirma en él", pp. 1, 12; Hugo Hiriart, "Leopoldo Méndez" [s.p.].

Raquel Tibol, "Todo un pueblo en la obra de Leopoldo Méndez", en rotograbado de *Excélsior*, México, 16 de febrero de 1970, p. 1.

Diorama de la Cultura, suplemento de *Excélsior*, México, 16 de febrero de 1969: "Homenaje póstumo a Leopoldo Méndez", p. 1; Carla Stellweg, "Un taller con su nombre", pp. 1-5; Manuel Arvizu, "La magna obra no quedará inconclusa", pp. 1, 4; Jorge Hernández Campos, "Vocación de evangelista", pp. 1, 4.

Erasto Córtes Juárez, "Con Leopoldo Méndez en su juventud", en *México en la Cultura*, suplemento de *Novedades*, México, 2 de marzo de 1969, pp. 1, 4.

El Gallo Ilustrado, suplemento de *El Día*, México, 2 de marzo de 1969: "Leopoldo Méndez 1902-1969" (citas de otros artistas respecto al grabador), p. 1; "Carta de Lorenzo Homar, prestigiado artista gráfico de Puerto Rico, a nombre de la Escuela de Artes Plásticas del Instituto de Cultura Puertorriqueña", p. 2; José Chávez Morado, "La creación del Museo Mexicano de la Estampa, homenaje a Posada y Méndez, cumbres del arte universal", p. 2; Pablo Méndez, "Testamento y anécdotas", p. 2; "Méndez, biografía sumaria", p. 3; Salvador Novo, "Evocación", p. 3; Francisco Díaz de León, "El maravilloso Leopoldo, el gran amigo Leopoldo", p. 3; Manuel Maples Arce, "Mi amigo Leopoldo", p. 4; Javier Romero, "Artista ciudadano", p. 5; Alberto Beltrán, "Realizó el ideal del trabajo colectivo", p. 5; "Mínimo ideario de Méndez", p. 5; Elena Poniatowska, "Méndez, cinco años después", p.

6; Edmundo Domínguez Aragonés, "La hora del cerezo y del alfil", p. 6; Gabriel Figueroa, "Sencillez maravillosa del genio", p. 7; Arqueles Vela, "Enérgica tradición hispanoamericana: lo recóndito y entrañable popular", p. 7; Jorge J. Crespo de la Serna, "El quehacer estético de Méndez", p. 8; Demetrio Aguilera-Malta, "Del sello prehispánico a Méndez", p. 8; Antonio Rodríguez, "Méndez, 'muralista' del grabado", p. 9; Pablo O'Higgins, "Luchador infatigable", p. 10.

Miguel Capistrán, "Leopoldo Méndez (1902-1969)", en *La Cultura en México*, suplemento de *Siempre!*, México, 5 de marzo de 1969, p. III.

Adolfo Mexiac, "Leopoldo Méndez, un grande del grabado mexicano", en *Nuestra Gente* n. 34, IMSS, México, 1 de abril de 1969, pp. 13-17.

Albe Steiner, "Carta de Italia en memoria de Leopoldo Méndez", en *El Día*, México, 2 de abril de 1969, p. 12.

Diario, Jalapa, 22 de abril de 1969: "Síntesis biográfica de Leopoldo Méndez", p. 3; "Opiniones", p. 3; Marcela E. Prado R., "Leopoldo Méndez", p. 3.

Juan Marinello, Catálogo de la exposición *Grabados mexicanos: Homenaje a Leopoldo Méndez*. Universidad de La Habana, Cuba, septiembre de 1969.

Juan Marinello, "Conciencia y maestría de Leopoldo Méndez", en *Bohemia* n. 42, La Habana, 1969, pp. 18-23. Republicado por *El Gallo Ilustrado*, suplemento dominical de *El Día*, el 12 de octubre de 1969 y el 28 de septiembre de 1975. Recogido en los libros de Marinello, *Contemporáneos. Noticia y memoria*, UNEAC, La Habana, 1975; y *Comentarios al arte*, Letras Cubanas, La Habana, 1983.

Manuel Maples Arce, *Leopoldo Méndez*. Fondo de Cultura Económica, México, 1970.

Raquel Tibol, "Leopoldo Méndez 1902-1969" (cronología). Catálogo de la *Exposición/Homenaje* en el Palacio de Bellas Artes. INBA-Academia de Artes, México, 1 de febrero a marzo de 1970.

"Un Méndez antibélico y contra el fascismo se muestra en Bellas Artes", en *Excélsior*, México, 7 de febrero de 1970.

Socorro Díaz, "Leopoldo Méndez", en *El Día*, México, 10 de febrero de 1970.

Rafael F. Martí, "Leopoldo Méndez, concreto, emotivo, claro", en *El Día*, México, 12 de febrero de 1970.

P. Fernández Márquez, "Exposición homenaje a Leopoldo Méndez", en *Revista Mexicana de Cultura*, suplemento de *El Nacional*, México, 15 de febrero de 1970.

Germán List Arzubide, "Recuerdos de mi amigo Leopoldo Méndez en el primer aniversario de su muerte", en *Revista Mexicana de Cultura*, suplemento de *El Nacional*, México, 22 de febrero de 1970, p. 5.

J. C. Schiara, "Homenaje a Leopoldo Méndez", en *México en la Cultura*, suplemento de *Novedades*, México, 22 de marzo de 1970, pp. 3-7.

Socorro Díaz, "Salomón Marcovich. El principal coleccionista de la obra de Leopoldo Méndez", en *El Día*, México [s.d.], abril de 1970 [s.p.].

"Leopoldo Méndez, El libro y el ensayo", en *Revista de la semana*, suplemento de *El Universal*, México, 30 de agosto de 1970, p. 2.

TGP n. 0, periódico dedicado a Leopoldo Méndez, México, octubre de 1970: Jesús Álvarez Amaya, "Primeras palabras", p. 1; Juan Marinello, "Méndez", p. 1; Francisco Díaz de León, "El sucesor de Guadalupe Posada", p. 2; Manuel Maples Arce, "Posada y Leopoldo Méndez", p. 3; Juan de la Cabada, "El hombre y su obra", p. 3; Erasto Cortés Juárez, "Recordando a Leopoldo Méndez", p. 4; Carlos E. Chacón Rodríguez, "Leopoldo Méndez", p. 4; Rodolfo Zamora Machín, "El grabado moderno", p. 4.

Alberto Beltrán, "Leopoldo Méndez y su tiempo", en *El Universal*, México, 7 de marzo de 1971.

Macario Matus, "El espíritu de lucha, distintivo de Leopoldo Méndez, dice O'Higgins", en *El Día*, México, 10 de julio de 1973.

"Leopoldo Méndez, un artista comprometido", en rotograbado de *Excélsior*, México, 5 de agosto de 1973.

Riva Castleman, *Grabados latinoamericanos del Museo de Arte Moderno de Nueva York*. CIR-MOMA, Nueva York, 1974.

Alberto Beltrán, "Leopoldo Méndez, artista de un pueblo en lucha", en *El Gallo Ilustrado*, suplemento de *El Día*, México, 11 de febrero de 1979, p. 3.

Rafael Carrillo Azpeitia, "Leopoldo Méndez heredero de José Guadalupe Posada", en *El Gallo Ilustrado*, suplemento de *El Día*, México, 11 de marzo de 1979, pp. 12-14.

La Semana de Bellas Artes n. 79, México, junio de 1979: Raquel Tibol, "Del credo de Leopoldo Méndez", pp. 2-4; "Fragmentos de las libretas de Leopoldo Méndez", p. 5; Juan de la Cabada, "Posada y Leopoldo Méndez", pp. 6-7; Francisco Díaz de León, "El sucesor de José Guadalupe Posada", p. 7; Miguel Bautista, "Leopoldo Méndez, un virtuoso del grabado mexicano", p. 11.

Exposición homenaje a Leopoldo Méndez en el Instituto Potosino de Bellas Artes. INBA, Gobierno del estado, Dirección de Promoción Nacional, San Luis Potosí, noviembre de 1979.

"Inaugurarán hoy la muestra de Leopoldo Méndez en La Habana", en *Excélsior*, México, 27 de diciembre de 1979, sección c, p. 1.

Octavio Paz, "Vigencia del grabado", en el catálogo de la exposición *Actualidad gráfica-Panorama artístico. Obra gráfica internacional*. INBA-SEP, México, 1979-1980.

Helga Prignitz, *El Taller de Gráfica Popular en México, 1937-1977*. INBA-CENIDIAP, México, 1992. Tesis cuya versión original se publicó en la Verlag Richard Seitz, 1981.

Catálogo de la exposición *Leopoldo Méndez*, realizada en el Centro de Artes Visuales e Investigaciones Estéticas, Coahuila, 8 de mayo de 1981.

Ida Rodríguez Prampolini y otros, catálogo de la exposición *Leopoldo Méndez. Artista de un pueblo en lucha*. CEESTEM-IIE, México, 7 de septiembre de 1981. Varios de los textos fueron republicados por *Sábado*, suplemento de *Unomásuno*, del 12 de septiembre de 1981; y por *La Semana de Bellas Artes* del 23 de septiembre de 1981.

"Leopoldo Méndez. Artista de un pueblo en lucha". Ciclo de cine, sala de proyecciones del CEESTEM, septiembre a octubre de 1981 (invitación).

Aída Reboredo, "Leopoldo Méndez 'una fuerza pictórica única en el arte mexicano del siglo XX', sostuvo Arnold Belkin", en *Unomásuno*, México, 8 de septiembre de 1981, p. 22.

Víctor Magdaleno, "Leopoldo Méndez, la figura más representativa de la gráfica mexicana: Alberto Beltrán", en *El Día*, México, 9 de septiembre de 1981, p. 11.

Hugo Covantes, *El grabado mexicano en el siglo XX, 1922-1981*. Edición del autor, México, 1982.

"Expone en Berlín el pintor Méndez", en *Unomásuno*, México, 29 de abril de 1982, p. 22.

Leopoldo Méndez. Un revolucionario de nuestro tiempo, catálogo (invitación) de la exposición realizada en la Universidad Obrera de México a partir de la muestra en el CEESTEM, mayo de 1982.

Juan Domingo Argüelles, "Leopoldo Méndez, presente", en *El Día*, México, 28 de mayo de 1982.

Rafael Carrillo Azpeitia, *Leopoldo Méndez: Dibujos, grabados, pinturas*. Fondo Editorial de la Plástica Mexicana y Nacional Financiera, México, 1984.

"Patrimonio Universitario. El grabador mexicano Leopoldo Méndez", en *Gaceta UNAM*, México, 30 de abril de 1984, pp. 16-17.

Raquel Tibol, *Gráficas y neográficas en México*. SEP, México, 1987.

Eva Cockroft, "The United States and Socially Concerned Latin American Art", en *The Latin American Spirit: Art and Artists in the United States*. Bronx Museum-Harry N. Abrams, Nueva York, 1988.

Cristina Rodríguez G. y otros, *El grabado, historia y trascendencia*. UAM, México, 1989.

Dawn Ades, *Art in Latin America*. The South Bank Centre, Londres, 1989.

Reba y Dave Williams, *The Mexican Muralists and Prints*. The Spanish Institute, Nueva York, 1990.

Francisco Reyes Palma, "Arte funcional y vanguardia, 1921-1952", en *Modernidad y modernización en el arte mexicano, 1920-1960*. INBA, México, 1991.

Catálogo de la exposición *Leopoldo Méndez*, en el Museo Nacional de la Estampa. INBA, México [s.f.].

171

LISTA DE OBRAS

1 **Fox Trot**. Dibujo para la revista *Zig Zag*, ciudad de México, 14 de abril de 1921.

2 **La costurera**. Dibujo para la revista *Irradiador*, ciudad de México, 1923.

3 **Hombre**. Grabado en madera de hilo, c. 1925 (primer grabado de Leopoldo Méndez). 26.9 × 16.8

4 **Techos de Jalapa**. Portada para la revista *Horizonte* n. 4, Jalapa, Ver., julio de 1926.

5 **Danzón**. Viñeta para la revista *Horizonte* n. 3, junio de 1926.

6 **El peón mexicano**. Ilustración para la revista *Horizonte* n. 10, abril-mayo de 1927, grabado en madera.

7 Portada para la revista *Horizonte* n. 9, marzo de 1927.

8 Viñeta para la portada del folleto de Manuel Maples Arce, *El movimiento social en Veracruz*, Jalapa, Ver., 1927.

9 Portada del libro de Germán List Arzubide *Emiliano Zapata. Exaltación*, Jalapa, Ver., 1927.

10
11 Portada y contraportada del libro *Emiliano Zapata. Exaltación*, Jalapa, Ver., segunda edición, 1928, grabados en madera.

12 Portada del libro de Enrique Barreiro Tablada y Práxedis Guerrero, *Un fragmento de la Revolución*, Córdoba, Ver., 1928, grabado en madera.

13 **Más tierras, más fusiles, más escuelas para los campesinos de México**. Grabado en madera para la contraportada del libro *Un fragmento de la Revolución*.

14 **Ladrillera** o **Ladrillero**. Grabado en madera, 1929. Sirvió como ilustración en la revista *Mexican Life*, septiembre de 1933.

15 **El adiós**. Grabado en madera para *El Sembrador*, ciudad de México, 1929.

16 **Protesta contra el alcoholismo.*** Grabado en madera para *El Sembrador*, 1929.

17 **La revolución que hace arte**. Grabado en madera para la portada de *Agorismo*, primera exposición de poemas, ciudad de México, 1929.

18 **La hora**. Grabado en madera, 1929. 27.5 × 23.5

19 **A la guerra, a la guerra.*** Grabado en madera para la novela de María del Mar, *La corola invertida*, ciudad de México, 1930.

20 **Caravana de miseria.*** Grabado en madera para *La corola invertida*, 1930.

21 **Un paso de jazz.*** Grabado en madera para *La corola invertida*, 1930.

22 **Inflando el globo**. Grabado en madera para *La corola invertida*, 1930.

23 **Rebozo de bolita, azul.*** Grabado en madera para *La corola invertida*, 1930.

24 **Neptuno**. Grabado en madera para el libro de Heinrich Heine, *The Gods in Exile*, California, 1930. 10.2 × 10.2

25 Sin título. Grabado en madera de pie, c. 1930. 8.3 × 5.5

26 **Inquisición**. Grabado en madera, c. 1930. 7 × 9.4

27 **Ex libris de John van Beuren**. Grabado en madera de pie, c. 1942. 10 × 8.5

28 Diseño de portada para la revista *Economía Nacional*, ciudad de México, 1930.

29 **Las trojes**. Grabado en madera de hilo, 1930. Publicado en *Mexican Folkways* n. 4, octubre a diciembre de 1932. 11.5 × 8.9

30 **Lamentación, Orantes** o **Mujeres orando**, 1931. Grabado en madera de pie, que ilustró las revistas *Mexican Life*, ciudad de México, septiembre de 1933, y *Art Front*, marzo de 1937. 15.5 × 11

31 **Sudor de sangre**. Grabado en madera de hilo, publicado en *El Sembrador*, 1931. 12.5 × 10.7

32 **Sueño de los pobres** o **Sueño de los hambrientos**. Grabado en madera que sirvió de anuncio para los comedores públicos de la Secretaría de Salubridad, 1931. 12.5 × 12.5

33 **Arte puro**. Grabado en madera de hilo, para la portada del periódico de pared de la LIP, *Llamada* n. 1, ciudad de México, octubre de 1931.

34 Viñeta para portada del libro de Enrique Othón Díaz, *Canto ingenuo. La escuela rural*, México, 1931.

35 Portada del libro de José Mancisidor, *La ciudad roja*, Jalapa, Ver., 1932.

36 **Concierto de locos, Los locos** o **A cual más afinado**. Grabado en madera de hilo que sirvió como anuncio de un concierto radial por los alienados de La Castañeda, 1932.

37 **¡Qué susto! URSS**, 1932. Grabado en madera de pie, publicado en la revista *Futuro* n. 4, ciudad de México, 15 de enero de 1934. 8.4 × 6.7

38 **Tertulia**, 1933. Grabado en madera de pie para el libro anónimo *Aquisterio. Crítica anónima*, ciudad de México, 1933. 15.8 × 15.8

39 **El accidente**. Grabado en madera de hilo, 1934.
14.3 × 9.7

40 **El "Juan"**, también conocido como **La familia del general** o **Pos pa qué luchamos**. Grabado en madera de pie para la portada de *El Máuser*, periódico de las células comunistas en el ejército y la policía, n. 6, ciudad de México, abril de 1934.
9.6 × 13.7

41 Grabado en madera para la portada del libro de Celestino Herrera Frimont, *Corridos de la revolución*, Pachuca, Hgo., 1934.
9.1 × 9.1

42 **El rapto**, grabado en madera, 1934.
14 × 9.5

43 **El mexicanismo de los fachistas**. Portada de *Contra-ataque* n. 1, órgano de la Liga Contra el Imperialismo, el Fachismo y la Guerra, ciudad de México, agosto de 1934.

44 **Las bodas del Imperialismo y el Plan Sexenal.*** Ilustración para *Contra-ataque*, ciudad de México, c. 1934.

45 **El afilador**. Grabado que ilustra el folleto con el *Saludo* que Henri Barbusse dirige al Primer Congreso Contra la Guerra y el Fascismo, ciudad de México, 1934.

46 **Piñata política**, 1935. Grabado en linóleo que sirvió de felicitación para el año de 1936.
28 × 21.6

47 **Casateniente**. Grabado en madera para la Hoja Popular de la LEAR n. 1, marzo de 1935.

48 Grabado en madera para hoja volante con el manifiesto *Cómo pretenden,*** difundido a raíz del atentado de los camisas doradas en la Plaza de Santo Domingo, el 2 de marzo de 1935.

49 **Taller-escuela de Artes Plásticas**. Grabado para cartel, 1935.

50 **El machete y el mazo**. Grabado en madera de pie que ilustra el cuento de Juan de la Cabada, "Soy camisa dorada", aparecido en *Frente a Frente* n. 3, mayo de 1936.
13.8 × 13.9

51 **El gran obstáculo**. Grabado en linóleo para un cartel en fotograbado, 1936.
28.3 × 39.5

52 **¡Viva el Congreso de Unificación Proletaria!** Linóleo para cartel, ciudad de México, 1936. Reproducido también en la edición especial de *El Machete* del 22 de febrero de 1936.
50.5 × 40.5

53 **El fascismo I**. Grabado en madera, 1936. Ilustración de *Frente a Frente* n. 4, ciudad de México, julio de 1936.
14 × 11.9

54 **El fascismo II** o **Ayuda a los revolucionarios perseguidos**. Grabado en madera, 1936.
15.3 × 17

55 **La protesta**. Grabado en linóleo para la portada del libro de Miguel Otero Silva, *Agua y cauce (Poemas revolucionarios)*, ediciones LEAR, México, 1937.
19.6 × 12

56 **El desfile**, c. 1937. Litografía utilizada en la propaganda de *La Voz de México*, ciudad de México, 1938.
20 × 34.5

57 Ilustración para la portada del libro de Celestino Herrera Frimont, *Huapango*, México, 1937.

58 Ilustración para portada del libro de Ramón Beteta, *Tierra del chicle*, grabado en madera. DAPP, México, 1937.

59 **Río Blanco**, 1937. Litografía publicada por la LEAR y el TGP para el *Calendario de la Universidad Obrera*, ciudad de México, 1938.

60 **Corran que ahí viene la bola**, 1937. Litografía para el *Calendario de la Universidad Obrera*, 1938.

61 **Maestro tú estás solo [. . .]** o **Por enseñar a leer**. Linóleo para hoja volante del TGP, 1938.

62 **Unidad, CTM**. Litografía para un pequeño cartel que contiene el saludo del TGP con motivo del Primer Congreso de la Confederación de Trabajadores de México, 1938.

63 **Understand Mexico Through U.O.!** Litografía para cartel de la Universidad Obrera, c. 1938.

64 **El imperialismo y la guerra**. Litografía para hoja volante del TGP, 1938.

65 **A las puertas de Madrid** o **La toma de Madrid**. Litografía para la carpeta colectiva *La España de Franco*, TGP, 1938.

66 **Profesor Arnulfo Sosa Portillo**. Litografía publicada en la carpeta *En nombre de Cristo*, Talleres Gráficos de la Nación, México, 1939.

67 **Profesor Juan Martínez Escobar**. Litografía para *En nombre de Cristo*, 1939.

68 **Corrido de don Chapulín**. Zincografía para hoja volante del TGP, 1940.

69 **Corrido de don Chapulín**. Zincografía para hoja volante, 1940.

70 **Con una piedra se matan muchos pájaros . . . nalgones**. Grabado en linóleo para la hoja volante del TGP que apoya la expropiación petrolera, 1940.

71 **Nueva York**, zincografía, 1940.
20.4 × 11

72 **La carta** o **¿Por qué?** Grabado en madera de pie utilizado en la promoción del periódico *Alemania Libre*, ciudad de México, 1942.
14.5 × 12.2

73 **Mariscal S. Timoshenko. Sus triunfos son los nuestros**. Litografía para cartel, 1942.

74 **La venganza de los pueblos**. Grabado en linóleo para hoja volante, inspirado en la resistencia del ejército guerrillero yugoslavo, 1942.
25.2 × 19.9

75 **Deportación a la muerte** o **Tren de la muerte**, 1942. Grabado en linóleo para *El libro negro del terror nazi en Europa*, México, 1943.
35 × 50.8

76 Grabado en madera para la portada del libro de Anna Seghers, *La séptima cruz*, El Libro Libre, México, 1943.
18.5 × 13.5

77 **Monopolio**. Grabado en linóleo que se utilizó como parte de un cartel referido a la lucha de los tranviarios, 1943.
39.2 × 32

78 **Mercado negro** o **Acaparador**. Grabado en linóleo, utilizado como portada de la revista *Tricolor*, ciudad de México, 7 de octubre de 1944.
24.7 × 18.1

79 **Ex libris de Ronald Campbell**. Grabado en madera de pie, 1944.
7.8 × 10

80 Grabado en madera de pie para la portada del libro de Juan de la Cabada, *Incidentes melódicos del mundo irracional*, México, 1944.

81 **Tzotz (El murciélago)**. Grabado en scratch-board para el libro de Juan de la Cabada, *Incidentes melódicos del mundo irracional*, 1944.
14 × 22

82 **Canto funeral de doña Caracol***
83 y **El decano jabalí**. Grabados en scratch-board para el libro de Juan de la Cabada, *Incidentes melódicos del mundo irracional*, 1944.

84 **El entierro del señor Ardilla**. Grabado en scratch-board para el libro de Juan de la Cabada, *Incidentes melódicos del mundo irracional*, 1944.

85 **El armadillo cava la fosa**. Grabado en scratch-board para el libro de Juan de la Cabada, *Incidentes melódicos del mundo irracional*, 1944.
14 × 22

86 **La piel del tigre** y **Espúlgate los recuerdos**
87 o **Recuerdos de la juventud**. Grabados en madera de pie que ilustran el libro de Juan de la Cabada, *Incidentes melódicos del mundo irracional*, 1944.

88 **Lucha por el carbón**. Grabado en scratch-board, 1944.
6.4 × 7.6

89 **El rayo**. Grabado en madera, 1944.
8.8 × 10

90 Grabado en linóleo para la portada de una invitación a una muestra del TGP, 1944.

91 **Lo que puede venir** o **Amenaza sobre México**. Grabado en madera de pie, 1945.
30.4 × 17

92 **Correo aéreo** o **El cartero**. Grabado en madera de pie para la portada del libro de Berta Domínguez D., *Ansina María*, México, 1945.

93 Ilustración para la reedición de la carpeta *Méndez, 25 Prints*, 1944. Posteriormente sirvió de portada en la revista *Anthropos*, ciudad de México, abril-junio de 1947.
33 × 26.5

94 **El hambre en la ciudad de México en 1914-1915**. Grabado en linóleo para la carpeta colectiva del TGP, *Estampas de la Revolución Mexicana*, ciudad de México, 1947.
20.8 × 29.7

95 **CTAL**. Grabado en linóleo para el cartel del Tercer Congreso de la CTAL, ciudad de México, 1948.

96 **Lucha contra los proveedores de una nueva guerra**. Grabado en madera para la filmina *Quiénes quieren la guerra. Quiénes quieren la paz*, Los Ángeles, 1949.
21.8 × 29.9

97 **Sobreproducción**. Litografía para la filmina *Quiénes quieren la guerra. Quiénes quieren la paz*, Los Ángeles, 1949.
30 × 41.7

98 **Silvestre Revueltas muerto**. Grabado en linóleo que ilustró el libro de Guillermo Contreras, *Silvestre Revueltas, genio atormentado*, México, 1949.
9.5 × 10.5

99 **Refugiados españoles**. Grabado en linóleo que ilustró el libro de William C. Townsend, *Lázaro Cárdenas, demócrata mexicano*, edición original: Ann Arbor, Michigan, 1952.
18.5 × 25.8

100 **En el camión**. Grabado en metal, s.f.

101 A, B, C, D, E. Placas de madera para el proceso del grabado a color **Es peor sobrevivir** [102].

102 **Es peor sobrevivir**.
Grabado en madera, 1958.
31 × 42

103 **Las antorchas**. Grabado en linóleo para la película *Río Escondido*, 1947.
30.5 × 41.5

104 **¡Bestias!** Grabado en linóleo para la película *Río Escondido*, 1947.
30.3 × 41.5

105 **El bruto**. Grabado en linóleo para la película *Río Escondido*, 1947.
30.3 × 40.8

106 **La siembra**. Grabado en linóleo para la película *Pueblerina*, 1948.
30.5 × 41.8

107 **El carrusel**. Grabado en linóleo para la película *Pueblerina*, 1948.
30.7 × 41.9

108 **Zapata**. Grabado en linóleo para la película *Pueblerina*, 1948.
79 × 65.5

109 **Fusilamiento**. Grabado en linóleo para la película *Un día de vida*, 1950.
30.4 × 41.8

110 **Homenaje póstumo**. Grabado en linóleo para la película *Un día de vida*, 1950.
30.5 × 42

111 **El rebozo**. Grabado en madera de hilo para la película *El rebozo de Soledad*, 1952.
30.7 × 41.9

112 **Los colgados**. Grabado en linóleo para la película *La rebelión de los colgados*, 1954.
24 × 32.5

113 **Porfirio Díaz**. Grabado sobre película para la cinta *Rosa blanca*, 1961.
50 × 90

114 **Calaveras del Mausoleo Nacional** o **Concierto sinfónico de calaveras**. Grabado en madera de pie, que ocupó la portada del primer número de *Frente a Frente*, noviembre de 1934.

115 **Monopolio**. Grabado para la revista *Frente a Frente* n. 5, agosto de 1936.

116 **Corrido de Stalingrado**. Grabado en linóleo para *Calaveras estranguladoras*, ciudad de México, noviembre de 1942.

117 **Gregorio Cárdenas**. Grabado en linóleo para *Calaveras estranguladoras*, ciudad de México, noviembre de 1942.

118 **Klim Milk**. Grabado en linóleo para el número de *Calaveras aftosas con medias náylon*, ciudad de México, noviembre de 1947.

119 **Ex libris de Harold Leonard**. Grabado en madera de pie, c. 1947.
7.1 × 6.2

AGRADECIMIENTOS

17(

Mi agradecimiento a la Sucesión Leopoldo Méndez
(de manera especial a Pablo Méndez), y a Micaela
Medel por poner a disposición los archivos del grabador, a Ángeles González Cerna por transcribir la
bibliografía, a Adriana Zapet por recuperar parte de
los documentos requeridos en la Hemeroteca Nacional y a Margarita González Arredondo por su diálogo
en la escritura. Asimismo, mi reconocimiento a Pablo
O'Higgins† y a Mariana Yampolsky por la transmi-
sión viva de la memoria de Leopoldo Méndez.
F.R.P.

Los editores agradecen a las siguientes instituciones
y personas por permitir fotografiar grabados y publi-
caciones de sus colecciones y archivos: Hemeroteca
Nacional, Biblioteca Nacional, CENIDIAP/INBA, Gilberto
Bosques, Laura Bosques, Olivier Debroise, María
O'Higgins y Armando Sáenz.

ÍNDICE

Portada:
CTL [95]
Fragmento

© Fotografías:
Pablo Méndez: páginas 6, 9, 10 abajo, 13, 19, 21, 25, 35, 165
    y obras, 3, 24 a 27, 29 a 33, 36 a 42, 44 a 48, 50 a 57,
    59, 60, 62 a 67, 70 a 81, 83 a 86, 88, 89, 91, 93, 94, 96
    a 99, 101 a 113, 118, 119, 121, 123, 124
Luis Palacios: obras 2, 4, 5 a 23, 28, 34, 35, 43, 49, 58, 61,
    68, 69, 82, 87, 92, 114, 115, 120, 122, 125
Agustín Estrada: obra 1 / David Maawad: obra 95

Fotocomposición y formación: Redacta, S.A. / Ciudad de México
Selecciones de color, impresión y encuadernación:
Dai Nippon Printing Co., Ltd., Singapur
Edición: 5 000 ejemplares / 30 de octubre de 1994

Diseño gráfico y cuidado de la edición:
Vicente Rojo / Rafael López Castro
Asistente: Vicente Rojo Cama

Coordinador técnico:
Felipe Ulloa Ramírez
Dirección General de Publicaciones / CNCA